西東社

やってみよう

右と左の絵でちがうところを3つさがそう。
（こたえ／319ページ）

あたま（脳）はすごいチカラをもっているよ!

左の図を見てください。
脳は8つのエリアにわかれていて、「なぜ？なに？」と考えたり、「わかった！」と理解したり、それぞれにやくわりがあるんだ。
じつは、きみがまちがいさがしをといたとき、脳のエリアがいまいくつも刺激をうけたよ。この刺激で脳はきらめき、あたまがよくなるんだ。
この本は、8つのエリアがたくさん刺激される工夫がしてあるから、くりかえしたのしんで、脳をどんどんきらめかせよう。

まちがいさがしは
脳をドラマチックにつかい、
記憶するチカラ、
くらべるチカラをつけます!

脳科学者
加藤俊徳 先生

この本が脳によいところ

1. たくさんのまちがいさがしにチャレンジできる！
2. たのしいテーマごとに章がわかれている！
3. 絵がかわいく、緻密で、視覚情報が多い！
4. オールカラーで、紙面の色彩が美しい！
5. まちがいさがし以外の脳シゲキ問題にも挑戦できる！
6. 1冊を通して物語もたのしめる！

【おうちのかたへ】

10歳くらいまでの子どもは、非言語脳といわれる右脳が飛躍的に成長する時期です。言葉や勉強は言語脳つまり左脳がほとんどを担いますが、右脳の発達が左脳の伸びに大きく影響します。ですから、お子さんが幼い時期にもっともやるべきことは、むずかしい勉強よりも、「見てみたい！」「やってみたい！」というお子さんの自発的な気持ちを大切にした、右脳を発達させるあそびであり、体験です。本書は上の図のように右脳の８つのエリアが刺激されるように工夫していますが、むずかしく考えず、まちがえたり、脱線したりしながら、親御さんも一緒になってあそびつくしてください。

もくじ

ふたごの姉妹、アキとユカの前に、
ある日とつぜん、ふたりのようせいがあらわれた！
さあ、まちがいさがしのたびのはじまりだよ！

わたしたちはふたごのきょうだい
あそぶときも学校でもいつもいっしょです
ユカ
おしゃれが大すき。アイドルをしている
アキ
本が大すきな、しっかりもの
ん？
どうしたの？
何だかこのこうえんいつもとちがわない？

たしかに何かおかしいかも…
すごい！
この子たちならせかいをすくってくれるかも…

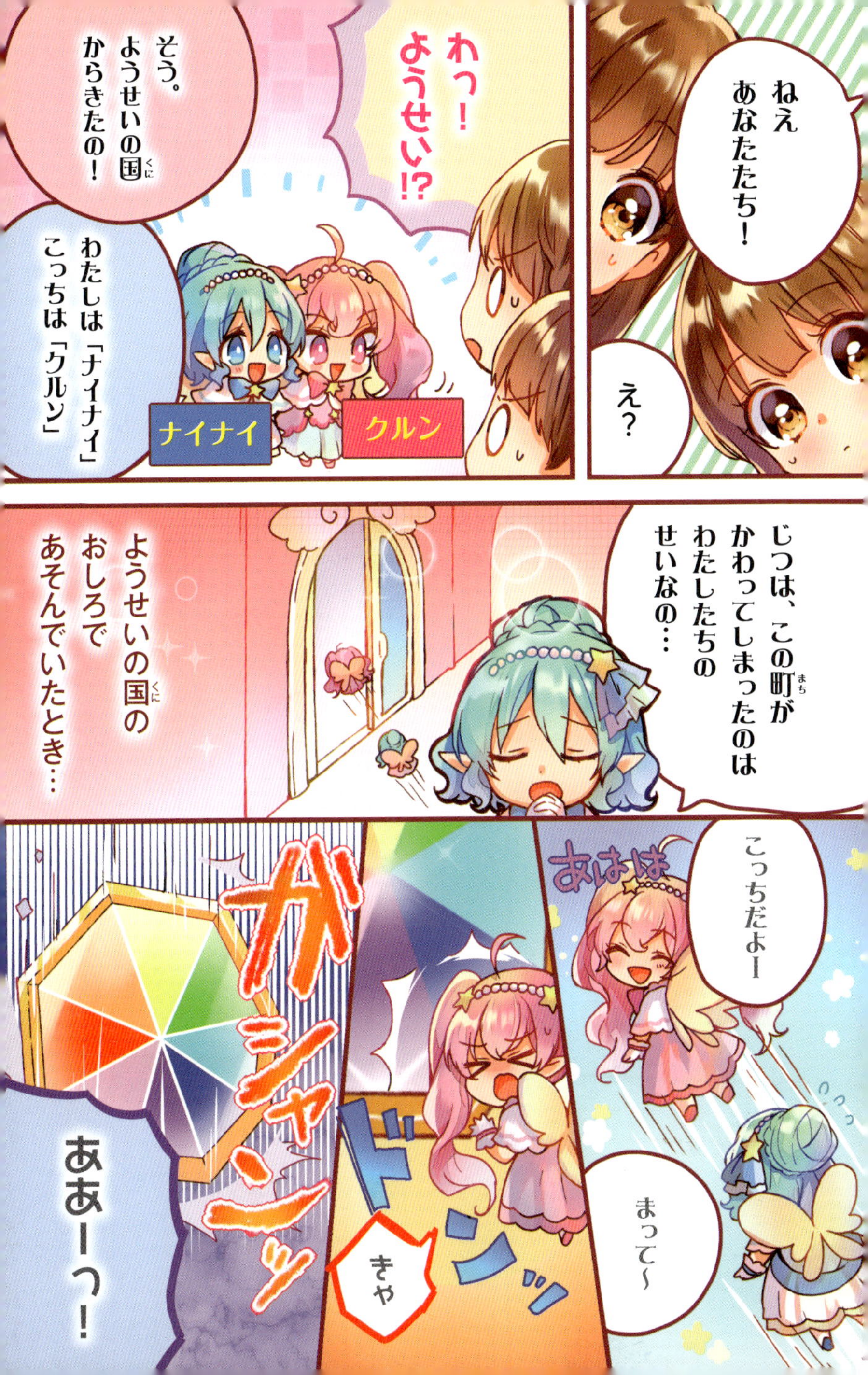

ねえ あなたたち！
え？
わっ！ ようせい!?
そう。ようせいの国からきたの！
わたしは「ナイナイ」こっちは「クルン」
ナイナイ
クルン
じつは、この町がかわってしまったのはわたしたちのせいなの…
ようせいの国のおしろであそんでいたとき…
こっちだよー
あはは
まって～
ドンッ
きゃ
ガシャンッ
ああーっ！

どうしよう
「しんじつのかがみ」が…
ピカッ
きゃあ～！
しゅばっ
たったいへん
おとうさま～！おかあさま～！
え…
シン……
おしろの時が止まってる
「しんじつのかがみ」はあらゆるせかいの本当のすがたをうつしているものなんだけど…
そのかがみがバラバラになってせかい中がまちがいだらけになってしまったの

早く
かがみのかけらを
見つけなきゃ…
おかしなことに
なってしまった
せかいも
直さないと！
おしろの時も
もどらない…
ぐすっ
なかないで！
あなたたちには
まちがいを
見つける力が
あるわ
おねがい
てつだって！
ああっ
ぱっ
わかったわ
まかせて！
ありがとう!!
うふふ
それじゃあ
さっそく…
わーーい
みんなで
まちがいを
さがしに行こう！
おー!!

いつものこうえんは今日（きょう）もにぎやか！

みつけて　チョウが１ぴきいるよ。どこかな？

いつもあそんでいる、大すきなこうえん。でも、今日は何だかようすが少しちがうみたい。右と左の絵には、まちがいが6つあるよ。さがしてね！

こたえは297ページをみてね

クイズ　メロンが入(はい)っているからメロンパン。○かな×かな？

やきたてのかおりにさそわれて、つぎはパンやさんにきたよ。どれもおいしそうで、まよっちゃう！右と左の絵には、まちがいが6つ。どこかな？

← こたえは297ページをみてね

ま世つ外(はず)れのふくをさがせ！

かぞえて　おきゃくさんは、ぜんぶで何人(なんにん)いるかな？

おしゃれなようふくやさんをチェック！　あれ？　今(いま)は夏(なつ)なのに冬(ふゆ)にきるふくがあるよ。みほんのマネキンがきているアイテム６つをさがしてね！

← こたえは297ページをみてね

あわてんぼうのフルーツやさん

? クイズ　スイカは、はたけでそだつよ。○かな×かな？

まちがいは6つ

たいへん！　フルーツやさんのおねえさんが、リンゴをおとしちゃったよ。右と左の絵は、かがみにうつったみたいに、さかさまになっているよ。

← こたえは297ページをみてね

とってもカラフル！お花（はな）やさん

✓かぞえて バラの花（はな）は、ぜんぶでいくつあるかな？

いつもとおるお花(はな)やさんは、色(いろ)とりどりのお花(はな)がならんでいて、とってもきれい！　上(うえ)と下(した)の絵(え)には、まちがいが6つあるよ。わかるかな？

← こたえは297ページをみてね

かわいい電車のりたいな！

みつけて 赤いチューリップがあるよ。どこかな？

町のえきにやってきたよ。かわいい電車は、子どもたちに大人気！　右と左の絵には、まちがいが7つ。電車がしゅっぱつする前に、見つけて！

← こたえは298ページをみてね

このやさいはどーれだ？

1 黄色のつぶつぶがぎっしり！あまくておいしいよ。

2 オレンジ色で、うさぎがすきなやさいだよ。

3 みどり色で、ちょっぴりにがい。中にはたねしかないよ。

クイズ 切るとなみだが出ちゃうやさいは、どれかな？

やさい大すき！

おつかいをたのまれて、やおやさんにやってきた女の子。お母さんのメモにある 1 ～ 3 のヒントをよんで、かうやさいを３つさがしてね。

こたえは298ページをみてね

ハンバーガーショップでひと休(やす)み

クイズ　ポテトは、何(なに)をほそく切(き)ってあぶらであげたもの？

「いらっしゃいませ！」かわいい店員さんが元気にあいさつしてくれたよ！　右と左の絵にあるまちがいは、ぜんぶで７つ。さがしてね！

← こたえは298ページをみてね

ようちえんの先生は大いそがし！

かぞえて　子どもは、ぜんぶで何人いるかな？

ようちえんの子どもたちは、今日も元気いっぱい！　いっしょに遊びたくなっちゃうね！　上と下の絵には、まちがいが7つ。どこかな？

← こたえは298ページをみてね

おもちゃたちを つかまえてー！

クイズ　ラッパの音（おと）は「シャンシャン」だよ。○かな×かな？

おもちゃやさんのおもちゃたちが、かってに動き出した!? おもちゃをぜんぶつかまえて、はこにもどそう。1回とおった道はとおれないよ。

← こたえは298ページをみてね

おなじケーキはどれ？

ケーキやさんに行(い)くと、そっくりなケーキがずらり！　みほんとおなじものをひとつさがそう。

← こたえは298ページをみてね

このえいが、どんなお話？

えいがをみたら、何だかお話がへん！　4つのばめんを、お話がとおるようにならべかえよう。

こたえは299ページをみてね

こんなに大きいパフェ見たことない！

かぞえて ハートは、ぜんぶでいくつあるかな？

気になっていた、おしゃれなカフェ♡　スペシャルメニューのビッグパフェ、おいしそう！　右と左の絵には、まちがいが6つ。わかるかな？

←こたえは299ページをみてね

ゆうえんちは たのしいね！

みつけて ヒヨコのマークがあるよ。どこかな？

みんな大すきなゆうえんち。ジェットコースターにかんらんしゃ。何からのろうかな？　右と左の絵には、まちがいが８つあるよ。さがしてみよう！

←こたえは299ページをみてね

魚(さかな)にペンギン、イルカもいるよ！

クイズ　ペンギンは鳥(とり)のなかまだよ。○かな×かな？

かわいいいきものとたくさん会えるすいぞくかんは、お気に入りのばしょ。右と左の絵には、まちがいが９つあるよ。ぜんぶ見つかるかな？

こたえは299ページをみてね

レベル
★☆☆
かんたん

かけらはアクセサリーの中(なか)に？

みつけて 星(ほし)がついたアクセサリーがふたつあるよ。どこかな？

アクセサリーショップに入ると、クルンたちの羽が強く光った！　もしかして、この中にかがみのかけらが？　みほんとおなじものを見つけてね！

こたえは299ページをみてね

やっ
やった！見つけたー!!
むらさき色の1まいはようせいの国にあるから…
えーと
これで2まいあつまったね！
あと、6まいか先は長いな…
ほかはどこにあるんだろう？
あれ？
もどってる
羽のこと？

さっきまで強く光っていたよね
ピカッ
そういえばおとうさまから聞いたことがあるわ
強い魔力をかんじると羽が光るんだって！
羽が光るところにかがみのかけらがあるってことかも！いろいろなばしょへ行って羽が光るかどうかしらべようよ！
なるほどさすがアキ！
ねっふたりとも！
すやすや
とおいようせいの国からきて、つかれてるんだね
今日はやすもう！
うん！
また明日がんばろう！
つづく

おまけのもんだい

10ページから39ページの絵の中からさがしてね！

まちがいさがしのページでは、右（または上）の絵からさがそう。

どこかにアキとユカがいるよ。
ヒントは、うしろすがただよ。

18

どこかにクルンとナイナイがいるよ。ヒントは、
キラキラしたものがたくさんあるところだよ。

19

どこかに、モグラがいるよ。

20

白いうさぎは、何回出てくるかな？

21

どこかに、ひこうきがとんでいるよ。

← こたえは299ページをみてね

アキとユカの学校にやってきた４人。
じゅぎょう、きゅうしょく、休み時間……。
たのしい学校の中も、じつはまちがいだらけだった！

ぱ
ち
あれ…
ここは？
おはよう！ ここは わたしたちの 家だよ
あんしんして
ごはん もってきたよ！
ぱく ぱく
わたしたち 学校に行かないと いけないんだけど…
いっしょに くる？
うん おもしろそう！ 行ってみたい！
あ

羽が光った！学校にかがみのかけらがあるってことかな？
きっとそうだよ！さがしてみよう！
ピカッ
いってきまーす！
バタン
おはよー
おはよー
あれ、何か…
うん、いつもとちがうよね
羽の光も強くなってる
よーし、それじゃあこの教室からまちがいさがしスタートだね！

今日(きょう)も元気(げんき)におはよう!

みつけて りんごがあるよ。どこかな?

まちがいは5つ

「おはよう！」「しゅくだいやった？」「そのふく、かわいい！」朝の教室は、とってもにぎやか！右と左の絵には、まちがいが5つ。さがしてね！

こたえは300ページをみてね

このけいさん どうやるんだっけ？

みつけて　すうじの「3」がふたつあるよ。どこかな？

さんすうは、ちょっとにがて。先生の「このけいさん、わかる人？」って声に、思わずドキッ！
上と下の絵には、まちがいが6つあるよ！

こたえは300ページをみてね

りかのじっけんで ハカセ気分

みつけて 「虫メガネ」はどれかな？

今日のりかは、大すきなじっけん！　ハカセになったつもりで、「ふむふむ」「これは大はっけん！」。右と左の絵にはまちがいが6つあるよ。

こたえは300ページをみてね

ルールをまもっていないのはだれ？

みつけて　ともだちをたすけようとしている子は、どの子かな？

けいじばんにはってある、３つのルール。みんなできもちよくすごすためのだいじなルールなのに、まもれていない子が３人！　見つかるかな？

こたえは300ページをみてね

見(み)て見(み)て！高(たか)くとべたよ！

かぞえて このとびばこは、何(なん)だんかな？

まちがいは7つ

体を思いきりうごかせるたいいくの時間は、とってもたのしい！　今日はとびばこにチャレンジ！　右と左の絵には、まちがいが７つあるよ。

こたえは301ページをみてね

どの絵もみんなすてきだね！

クイズ　えのぐの赤と白をまぜると、何色になるかな？

図工のじゅぎょうでは、クラスみんながげいじゅつ家にへんしん！　絵を見せっこするのがたのしいね。右と左の絵には、まちがいが8つあるよ！

← こたえは301ページをみてね

レベル ★★☆ ふつう

クイズ カレーは日本で生まれたりょうり。○かな×かな？

まちにまった、きゅうしょくの時間(じかん)！　おなかはペコペコ。みんなそろって「いただきまーす☆」。右(みぎ)と左(ひだり)の絵(え)にはまちがいが7つ。さがしてね！

こたえは301ページをみてね

ボール？ なわとび？ 何(なに)してあそぶ？

みつけて 黄色(きいろ)いチューリップがさいているよ。どこかな？

お昼休みは、広いこうていへ！　なわとびもいいけど、フラフープもやりたいな♪　上と下の絵にはまちがいが7つ。わかるかな？

← こたえは301ページをみてね

みんなでそだてたやさいだよ!

クイズ　キュウリの花(はな)は黄色(きいろ)。○かな×かな？

トマトにナス、キュウリ！　みんなのはたけでとれたやさい、どんなりょうりにする？　右(みぎ)と左(ひだり)の絵(え)には、まちがいが8つ。見(み)つけてね！

こたえは301ページをみてね

ほけんの先生はみんなのあこがれ

みつけて うさぎがいるよ。どこかな？

いつもやさしいほけんの先生は、みんな大すき♡
けがをして、ないていた子も、もうだいじょうぶ！
右と左の絵には、まちがいが8つあるよ！

← こたえは301ページをみてね

うさぎさんたち、元気(げんき)？

うさぎごやをおそうじするよ。５つのピースの中(なか)で、あてはまらないものを２つえらんでね！

← こたえは301ページをみてね

今日は何を歌う？

レベル ★★☆ ふつう

音楽の時間！「どれみふぁそ」の文字をぬくと、歌のだいめいになるよ。何の歌かな？

こたえは302ページをみてね

かわいいもの、いっぱい作(つく)ろう！

かぞえて ボタンは、ぜんぶでいくつあるかな？

まちがいは8つ

はりと糸とぬのがあれば、何でも作れちゃう！ゆめがふくらむ、かていかの時間！　右と左の絵には、まちがいが8つあるよ。さがしてね！

こたえは302ページをみてね

じどう会長は大人気！

クイズ　みじかいかみを、ショートヘアと言う。○かな×かな？

じどう会の会長は、かわいくて、かっこよくて、たよりになる！　ファンもたくさんいるんだって。右と左の絵には、まちがいが8つあるよ！

こたえは302ページをみてね

プールそうじはまじめにやろう！

クイズ　この4人は、何年生かな？

ふざけている男子たちにぶつかって、しりもちをついちゃった！　ともだちがちゅういしてくれたけど……。右と左の絵はかがみになっているよ。

こたえは302ページをみてね

クイズ　本は「1本、2本……」と数える。○かな×かな？

としょしつに入ると、羽のかがやきが強くなった！　とじた本、ひらいた本のじゅんに文字をつなげながら進むと、かけらのある場所がわかるよ。

かけらはどこかな？

こたえは302ページをみてね

やったー！3まい目ゲット!!
ふたりとも、すごい！まちがいをどんどん見つけるんだもん！
でも、おかしくなってしまったばしょはまだたくさんあるはずだよね
かがみのかけらを見つけてようせいの国のおしろの止まった時間ももどさないとね
コクリ
時間といえば…
まずい！

ユカちゃーん！おしごとおくれるよー
さくらちゃんごめーん！
ふたりともこれからおしごとかー
うん！歌番組のしゅうろくとインタビュー夜はコンサート
コンサートにはともだちとしてわたしも出るの！
ピカッ
！
もしかしてアイドルのせかいも？
うん！
さくらちゃんアキもいっしょに行っていいかな？
ええもちろん
アイドルのせかいってどんなところかな？
わくわく
つづく

おまけのもんだい

46ページから75ページの絵の中からさがしてね！

まちがいさがしのページでは、右（または上）の絵からさがそう。

38 どこかにアキとユカがいるよ。
ヒントは、「ふたりは歌が大すき」。

39 どこかにクルンとナイナイがいるよ。
ヒントは、本がたくさんあるばしょ！

40 メガネをかけている男の子がひとりいるよ。
どこかな？

41 この女の子は、どこにいる？

42 「？」のマークはいくつ出てきたかな？

こたえは302ページをみてね

ユカのともだち、アイドルのさくらちゃんと、
テレビやざっし、コンサートなど、あこがれのせかいへ！
４まい目のかがみのかけらは、見つかるかな？

テレビきょく
いつきても大きいなあー
アキちゃんこっちだよ〜
りっぱなおしろだね
おっさくらちゃん!ユカちゃん!
おつかれさまです!
あれ?ようすが…
キョロ
キョロ
さくらさま
わたしあいさつしてくるからここでゆっくりしててね

ふたりとも
もう出てきて
いいよ！
ふーう
クルン、ナイナイ
やっぱりアイドルの
せかいも
おかしなことに
なっていそう
早く元に
もどさなくっちゃ
ガチャ
おまたせ〜
そろそろ
じゅんびに入るよ
わたしの出番まで
さくらちゃんの
おしごと見学
しててもいいかな？
ええ
もちろん！
よし！

レベル ★☆☆ かんたん

いしょうは どれにしようかな？

みつけて うさぎのぬいぐるみがあるよ。どこかな？

さくらちゃんのいしょうべやには、かわいいふくがいっぱい！　歌(うた)にあわせて、えらぶんだって。右(みぎ)と左(ひだり)の絵(え)にはまちがいが7つ。どこかな？

← こたえは303ページをみてね

レベル ★☆☆ かんたん

さくら色(いろ)のリップでかわいくへんしん

かぞえて さくらの花(はな)のかざりは、ぜんぶでいくつあるかな？

いしょうをきたら、つぎはヘアメイク。さくらちゃんのお気に入りは、さくら色のリップ♡　右と左の絵には、まちがいが６つあるよ。さがしてね！

こたえは303ページをみてね

えがおで歌（うた）のレッスン！

クイズ　さくらの花（はな）は、冬（ふゆ）にさくよ。○かな×かな？

歌番組の本番前に、歌のれんしゅう♪　でも、あれれ？　かしがちょっとへんだよ。ヒントをよんで、おかしなところをぜんぶ直そう！

さくらいろスマイル

ええきな　さくらの　きのした
わらって　てをふる　きみがいる

はるは　えはなみ　なつは　はなび
あきは　えつきみ　ふゆは　ゆきなげ

えなじ　じかんを　すごしてきたね
たのしい　えもいで　ふりつもる

だから　なみだは　さくらいろ
てをふる　きみが　とえくなる
だけど　スマイル　さくらいろ
ふたりの　うたは　えわらない

こたえは303ページをみてね

本番、よーいスタート！

みつけて　水色のハートがあるよ。どこかな？

まちがいは6つ

歌番組のしゅうろく本番。かわいいステージで元気に歌うさくらちゃんは、とってもかっこいい！上と下の絵にはまちがいが6つ。わかるかな？

← こたえは303ページをみてね

すがおのさくらちゃん大こうかい！

レベル ★☆☆ かんたん

クイズ　生クリームはぎゅうにゅうからできる。○かな×かな？

つぎは、ざっしのインタビュー。ふだんの生活を、しゃしんを見せながらせつめいするよ。右と左の絵にはまちがいが6つ。見つけてね！

こたえは303ページをみてね

インタビューまじがかんせい！

クイズ　さくらちゃんがあつめているものは？　ふたつあるよ！

さくらちゃんのインタビューがのっているざっしのページを見せてもらったよ！　この中に、ハートはいくつあるかな？　かぞえてね！

おしえて！さくらちゃん！

Q すきなファッションアイテムは？

A ぼうしがすきで、たくさんもってます。あとは、かみが長いから、ヘアゴムもあつめてるよ！

Q なやんでいることはある？

A かみを切るかどうか、なやみ中。ばっさりショートにして、みんなをびっくりさせちゃおうかな？

← こたえは303ページをみてね

レベル ★★☆ ふつう

ドラマのさつえいにもチャレンジ！

かぞえて 右の絵で、ネコは何びきいるかな？

だんごやさんのむすめ役で、ドラマにしゅつえん。
さくらもようのきものが、よくにあっているね！
右と左の絵にはまちがいが7つ。どこかな？

← こたえは304ページをみてね

レベル ★★☆ ふつう

あま～いドーナツでひと休み

クイズ ドーナツみたいな形で、プールでつかうものは何？

歌、しゅざい、ドラマと大いそがしのさくらちゃん。でも、大すきなドーナツを食べれば、元気！右と左の絵には、まちがいが7つあるよ！

こたえは304ページをみてね

みつけて ドーナツやさんがあるよ。どこかな？

つぎは、コンサート会場へ！　青しんごうはとおれるけど、赤しんごうはとおれないよ。ファンがまつ会場まで、たどりつけるかな？

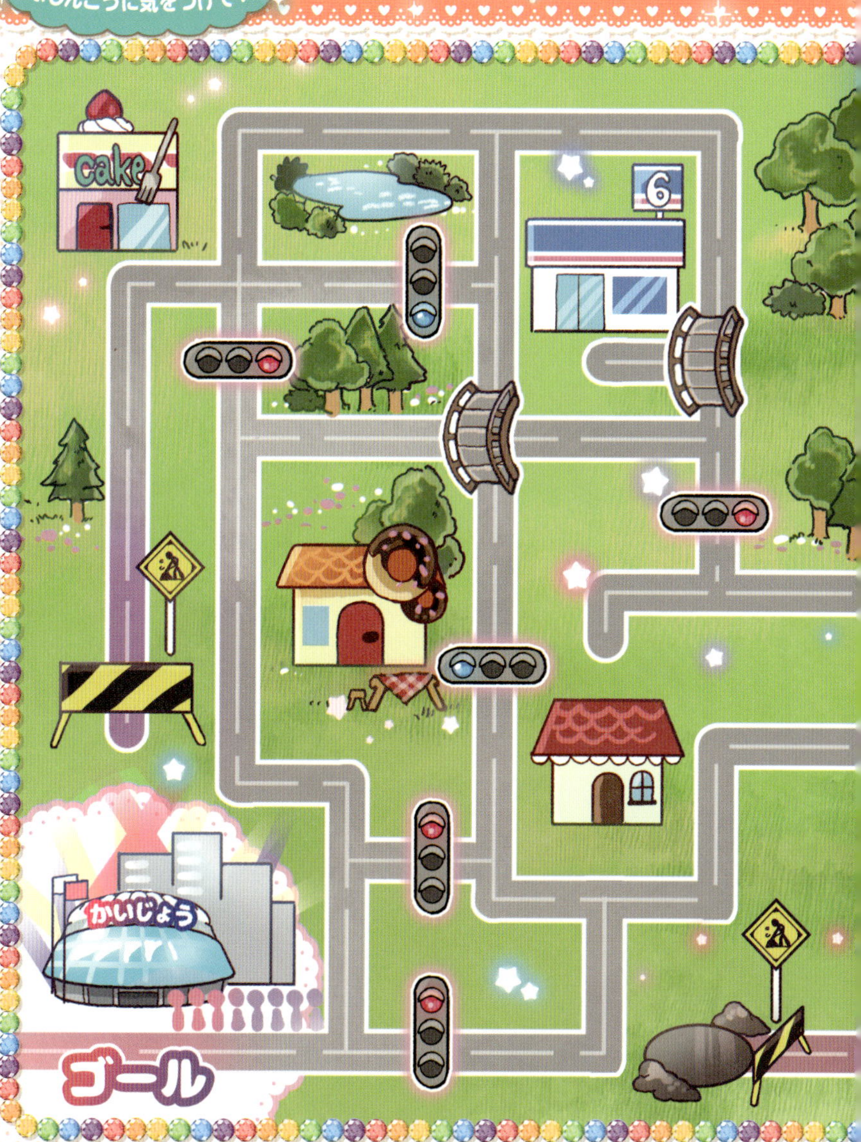

← こたえは304ページをみてね

ファンのみんなに「ありがとう！」

みつけて　頭(あたま)にさくらの花(はな)をつけた人(ひと)がいるよ。どこかな？

会場の前では、ファンのみんながまっていてくれたよ！　車からおりて、手をふるさくらちゃん。上と下の絵には、まちがいが8つあるよ！

← こたえは304ページをみてね

正しい(ただ)サインはどれ？

サインはれんしゅう中(ちゅう)のさくらちゃん。さくらちゃんがもっているものとおなじものはどれ？

← こたえは304ページをみてね

さくらグッズ、大人気！

レベル ★★☆ ふつう

下にあるグッズの中から、ファンの人たちがみにつけていないものを3つ、さがしてね。

← こたえは305ページをみてね

1、2、3、4！ダンスもバッチリ★

55

レベル ★★★ むずかしい

? クイズ　えいごで言うと、犬のなきごえになる数字は？

コンサートでおどるダンスを、先生（せんせい）といっしょにかくにん。さすが、さくらちゃん。カンペキだね！
右（みぎ）と左（ひだり）の絵（え）にはまちがいが8つ。わかるかな？

こたえは305ページをみてね

ステージのうしろは大(おお)いそがし

かぞえて ぜんぶで何人(なんにん)いるかな？

ステージのうしろでは、コンサートのじゅんびで、スタッフさんたちがかけまわっていた！　右(みぎ)と左(ひだり)の絵(え)にはまちがいが８つ。ぜんぶ見(み)つかるかな？

← こたえは305ページをみてね

あこがれのせんぱいたちと、パチリ

? クイズ　しゃしんをとるときに出(で)てくるたべものは？

まちがいは9つ

いっしょにステージに立つせんぱいアイドルさんたちと、きねんさつえい！　右と左の絵には、まちがいが９つあるよ。さがしてね！

こたえは305ページをみてね

かがみのかけらが会場(かいじょう)のどこかに

レベル ★★☆ ふつう

みつけて ぼうしをかぶっている人(ひと)がふたりいるよ。どこかな？

ついに、コンサートがはじまった！　すると、クルンたちの羽(はね)がピカーッ！　この会場(かいじょう)のどこかに、かがみのかけらがあるみたい。さがしてね！

こたえは305ページをみてね

見つけた！
4まい目！
おつかれさま〜
かっこよかったよ！
こそ
かがみのかけら
あった？
うん！
さくらちゃん
今日はありがとう！
アキちゃん
またあそびに
きてね！
わあ、かわいい
お人形だね！
ギクッ
う、うん
かわいいでしょ！
ははは
うん

ただいま！
ねえ、アキ これなあに？
これはシンデレラの えほんだよ
おかあさまに にてるね
ほんとだ
わたしもー
えっ どれどれー？
ん？ ちょっとまって
かぼちゃの馬車が じゃがいもに なってる!?
何これ…？
つづく

おまけのもんだい

82ページから111ページの絵の中からさがしてね！

まちがいさがしのページでは、右（または上）の絵からさがそう。

59 ユカが2回、とうじょうするよ。どこかな？

60 どこかにアキとクルンとナイナイがいるよ。
ヒントは、人がたくさんいるばしょ。

61 このペンケースは、どこにあるかな？
2回出てくるよ。

62 白いシャツをきて、黒いリボンをつけたさくらちゃんのマネージャーさんは、どこかな？　2回出てくるよ。

63 ジャンプをしているさくらちゃんがいるよ。
どこかな？

64 このネコは、どこにいるかな？

こたえは305ページをみてね

4 大すき！えほんのせかい

こんどは、えほんのせかいがおかしくなっちゃった！
みんなが大すきなおはなしを、早くもとにもどさないと……。
すてきなプリンセスたちにも、たくさん会えるよ！

どうしたの？
う〜ん
えほんのお話がおかしいの…
ちょっとまって
これもおかしい！
ぺらっ
こっちも…ぜんぶ！
ぺらっ
ピカッ
——あっ！
まさか、これもかがみのせいなの⁉
でもどうすれば…
わたしたちにまかせて！こうしてえほんにさわれば…
パァァァ
わ！
アァッ

さあ
ふたりとも
行くよ
手をつないで
えっ
なに？
はなしちゃダメだよ！
せーのっ…
うわあぁーっ!!
ビュン
ストン
きゃ！
こ、ここは…
えほんの
せかいだよ！
早く
まちがいを
見つけよう！
すごい!!
よーし
レッツゴーー！

まほうがとけるよ いそいでシンデレラ!

クイズ　かぼちゃの馬車の馬は、何のどうぶつがすがたを変えた?

12時のかねがなり、王子さまとわかれるシンデレラ。あ、ガラスのくつをおとしちゃった！　右と左の絵でまちがいは5つあるよ。わかるかな？

← こたえは306ページをみてね

ガラスのくつ ほんものはどれ？

かぞえて　ガラスのくつのリボンは、ぜんぶでいくつ？

おしろのけらいが、ガラスのくつのもちぬしをさがしにきたよ。けらいがもっているほんものと、おなじものはどれかな？　ひとつさがしてね。

こたえは306ページをみてね

にんぎょひめは魚たちとなかよし！

かぞえて　黄色い魚は、ぜんぶで何びきいるかな？

海の中でくらすにんぎょひめは、魚たちとおしゃべりしたり、あそんだり。いつもたのしそう！
右と左の絵にはまちがいが6つ。さがしてね！

こたえは306ページをみてね

よりみちはダメだよ！赤ずきんちゃん

みつけて　顔が白くて、羽がピンク色の鳥がいるよ。どこかな？

おばあちゃんにあげるお花をつむ赤ずきんちゃん。でも、木のかげにはこわいオオカミが！　気をつけて！　上と下の絵には、まちがいが9つあるよ。

こたえは306ページをみてね

長くうつくしいかみの ラプンツェル

クイズ ラプンツェルは、やさいの名前だよ。○かな×かな？

まちがいは９つ

まじょによって、高(たか)いとうにとじこめられたラプンツェル。でも、王子(おうじ)さまが会(あ)いにきてくれたよ！
右(みぎ)と左(ひだり)の絵(え)にはまちがいが９つ。さがしてね！

← こたえは306ページをみてね

「おかしの家(いえ)」のはずなのに…？

かぞえて ドーナツは、ぜんぶでいくつあるかな？

ヘンゼルとグレーテルが森(もり)の中(なか)で見(み)つけたおかしの家(いえ)。とってもおいしそうだけど、なぜか、おかしじゃないものが３つまぎれてる！　さがしてね。

← こたえは306ページをみてね

ピーターパンと空のたびにしゅっぱつ！

クイズ ピーターパンは男の子だよ。○かな×かな？

夜空をとんで、ネバーランドをめざすピーターパンたち。わたしたちもいっしょに行きたいなあ！右と左の絵でまちがいは7つ。見つかるかな？

こたえは307ページをみてね

気をつけて！7ひきの子ヤギたち

クイズ　ヤギは、ヒツジみたいにメーとなく。○かな×かな？

おるすばんをしている子ヤギたち。ドアの外にいるのはママじゃなくて、オオカミだよ！ 上と下の絵には、まちがいが7つ。わかるかな？

こたえは307ページをみてね

なかまとともに エメラルドのみやこへ

かぞえて 星(ほし)は、ぜんぶでいくつあるかな？

オズのまほうつかいに会うため、たびをつづける ドロシーと、ふしぎななかまたち！ 右と左の絵で、まちがいは９つあるよ。ぜんぶ見つかるかな？

← こたえは307ページをみてね

目(め)をさまして！うつくしいオーロラひめ

クイズ　オーロラひめがねむったのは1しゅうかん。○かな×かな？

まちがいは8つ

わるいまほうつかいののろいで、ねむりつづけるオーロラひめ。そのうつくしさに王子さまもうっとり。右と左の絵には、まちがいが8つあるよ。

← こたえは307ページをみてね

どの子ぶたのおうち？

レベル ★☆☆ かんたん

3びきの子ぶたが、手にもっているもので家をたてたよ。子ぶたと家を線でつなごう！

こたえは307ページをみてね

ピノキオのふくはどこ？

レベル ★☆☆ かんたん

かんせいしたピノキオに、ふくをきせてあげよう。みほんにある４つのものをさがしてね！

こたえは307ページをみてね

はたらきもののしらゆきひめ

かぞえて　本は、ぜんぶで何さつあるかな？

まちがいは9つ

森(もり)で出会(であ)ったこびとたちと、いっしょにくらしはじめたしらゆきひめ。今日(きょう)はみんなで大(おお)そうじ！右(みぎ)と左(ひだり)の絵(え)にはまちがいが９つ。さがしてね。

こたえは307ページをみてね

ひかれあう…びじょとやじゅう

クイズ　やじゅうの正体(しょうたい)は、まほうつかいだよ。○かな×かな？

まちがいは8つ

おそろしいやじゅうも、ベルのやさしさに心をひらき、ふたりだけのダンスパーティー。右と左の絵で、まちがいは8つあるよ。わかるかな？

こたえは307ページをみてね

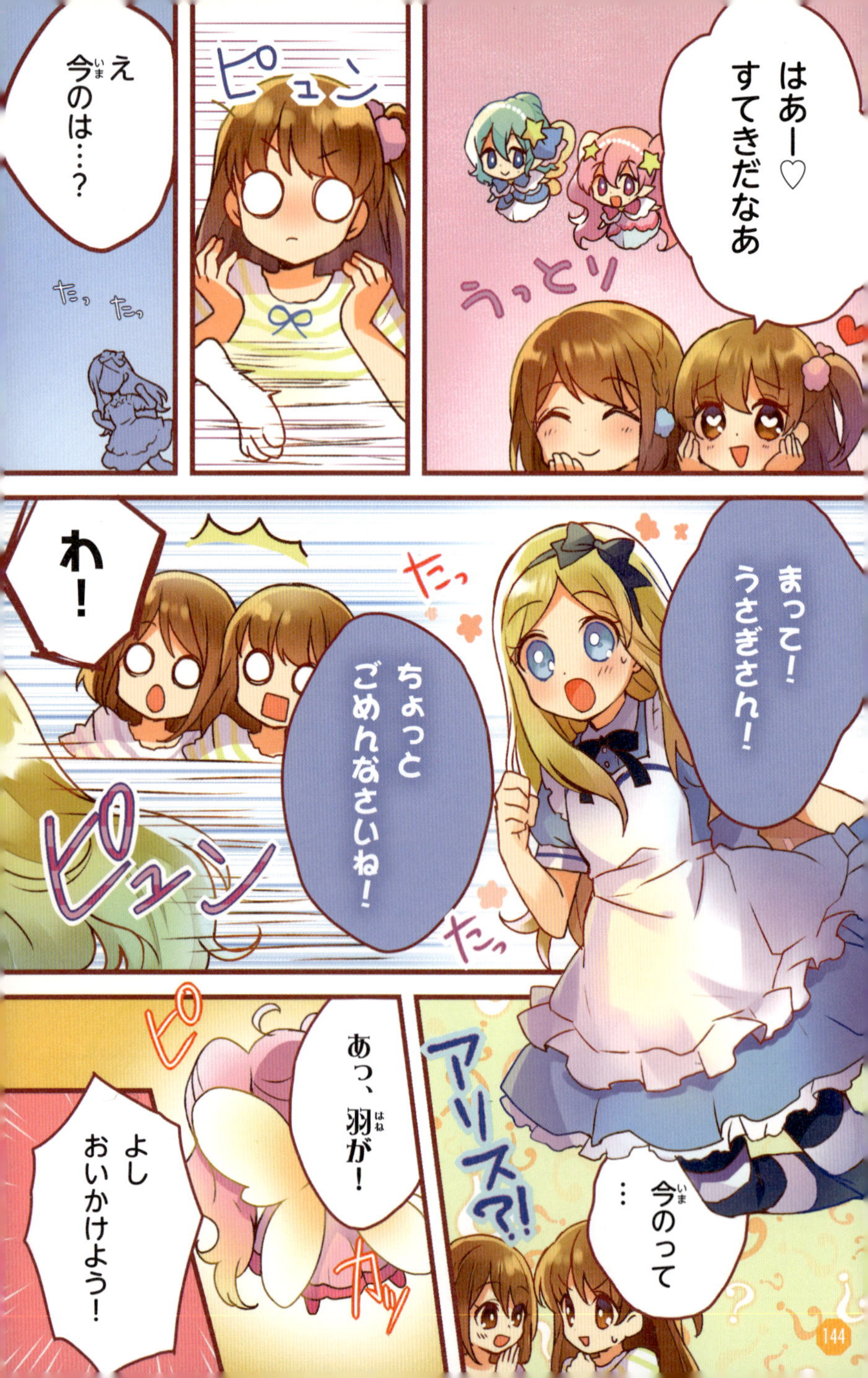

はあー♡
すてきだなあ
うっとり
ピュン
え
今のは…？
たっ　たっ
まって！
うさぎさん！
たっ
ちょっと
ごめんなさいね！
わ！
ピュン
たっ
アリス？！
今のって
…
あっ、羽が！
ピ
よし
おいかけよう！

トランプのマークはどこ？

79

アリスをまっていたのは、ちょっとふしぎなお茶会(ちゃかい)。みほんにある４つのマークをさがそう。

こたえは308ページをみてね

バラのめいろの先にかがみが…！

クイズ　スペードのトランプの数をぜんぶたすと、いくつ？

アリスの後をおっていくと、あっ、白うさぎがもっているのは、かがみのかけら！　バラのめいろをぬけて、白うさぎのところまで行こう！

こたえは308ページをみてね

黄色いかがみのかけらだー!!!
やったー!!
おい!そこにいるのはだれだ!!
!?
ハッ!女王さまだ!!まずい
アキ、ユカ帰るよ!
パァアア
はやくー!!
ビュンッ
えほんのせかい…もっといたかったなぁ

これで
あと3まい
だね
ここまで
あつめられたのは
ふたりの
おかげだよ
ありがとう
クルンも
ナイナイも
気が早すぎ!!
そうだよ
まだ3まいも
あるんだから
さて、つぎは
どこをさがせば
……って
ズーズー
また!!
たしかに
もうおそいし
ねよっか
うん…
わたしもねむい
ふぁ
おやすみー
すぅ……
つづく

おまけのもんだい

118ページから147ページの絵の中からさがしてね！

まちがいさがしのページでは、右（または上）の絵からさがそう。

81 森の中に、アキとユカがいるよ。どこかな？

82 まどの外に、クルンとナイナイがいるよ。どこかな？

83 おひめさまは、何人出てきたかな？

84 このぬいぐるみは、どこにあるかな？

85 このリボンをつけたおひめさまは、だれかな？

← こたえは308ページをみてね

かわいいようかいたちに、おしゃれなガイコツ、
カレーずきなまじょまで出てきて、おばけの国は大さわぎ！
6まい目のかがみのかけらは、ぶじにゲットできるかな？

ピピピピピ
07:30
んー…もう朝？
まだねる〜
みんな、おきて
おきてよー
んー
もうちょっとね
ぱち
ぎゃあーおばけっ
?!!
ガ
バッ
ねぼけたこといって…
も〜

ぎゃーーー!!!
ゆ、ゆめ??
何で…今、朝だよね?
あんしんして。このこはおそってこないわ
まさかっこれも…
ピカッ
まちがいない!行こう!
はやくきがえて!
え もしかしておばけの国…?
いやだーー!!
ビュンッ

おばけの国(くに)へようこそ!

かぞえて 右(みぎ)の絵(え)に、おばけは、ぜんぶで何(なん)びきいるかな？

まちがいは6つ

でむかえてくれたのは、かわいいおばけの子どもたち。おどったり、らくがきしたり、たのしそうだね！　右と左の絵のまちがいは、6つだよ。

← こたえは308ページをみてね

ふしぎな火(ひ)の玉(たま)がいっぱい！

みつけて　ソフトクリームがひとつだけあるよ。どこかな？

さまざまなようかいたちがくらす「ようかい村」には、よにもふしぎな火の玉がいっぱい！　みほんとおなじ火の玉が3つあるから、さがしてみてね！

こたえは308ページをみてね

ろくろ首(くび)かぞくの朝(あさ)ごはん

? クイズ　みそは、だいずからできる。○かな×かな？

首がにゅ〜っとのびる、ろくろ首。男の子はママにおこられて、エ〜ン！　パパはごはんにむちゅうだね。右と左の絵にはまちがいが6つ。どこかな？

こたえは309ページをみてね

かっぱたちのすいえい大会

みつけて　おぼれそうになっているかっぱがいるよ。どこかな？

おとよぎがとくいなかっぱたちが、すいえい大会をひらいたよ。ゆうしょうしたら「きゅうり1年分」！　上と下の絵には、まちがいが7つあるよ！

こたえは309ページをみてね

かぞえて　頭(あたま)にお花(はな)をつけている子(こ)は、何人(なんにん)いるかな？

ここは、ざしきわらしたちがいたずらのやり方をまなぶ小学校。みんなそっくりだけど、「ザッキーちゃん」がどこにいるか、わかるかな？

← こたえは309ページをみてね

夜のさんぽはたのしいな〜♪

クイズ 雨がふったときにきるふくを、3文字で何て言う？

雨の中、おさんぽ中のひとつ目こぞう。からかさおばけとちょうちんおばけは、つかってもらえずにくやしそう！　右と左の絵にはまちがいが7つ！

← こたえは309ページをみてね

ようかい村の女子がしゅうごう

クイズ　水をひやすと、こおりになるよ。○かな×かな？

ねこむすめ、ざしきわらし、雪女に口さけ女。あつまって、何をはなしているのかな？　右と左の絵には、まちがいが7つあるよ。さがしてね！

← こたえは309ページをみてね

これがほんとの「おにごっこ」？

もんだい

1. しんごうの色は赤と青、もうひとつは？
2. 赤と青の絵の具をまぜると、何色になる？

かぞえて　つのが２本あるおには、何人いるかな？

小おにたちのおにごっこは、とってもカラフル！
ふたつのもんだいをよんで、それぞれのこたえになる色のおにをさがして、つかまえてね！

こたえは309ページをみてね

クイズ　ハロウィンといえば「おかしか、＿＿か」。何(なに)が入(はい)る？

コウモリや黒(くろ)ネコもやってきて、かぼちゃたちのハロウィンパーティーは大(おお)さわぎ！　右(みぎ)と左(ひだり)の絵(え)には、まちがいが８つあるよ。わかるかな？

← こたえは310ページをみてね

めざめのいっぱいは、サイコー！

クイズ ドラキュラは、にんにくもにがて。○かな×かな？

たいようの光がにがてなはずのドラキュラが、いったい、どういうこと？　右と左の絵には、まちがいが8つあるよ。ぜんぶ見つかるかな？

こたえは310ページをみてね

ガイコツたちのファッションショー

レベル ★☆☆ かんたん

おしゃれなガイコツたちがみにつけているアイテムの中から、みほんにある３つをさがそう！

← こたえは310ページをみてね

夜の森をぬけて…

97

レベル ★☆☆ かんたん

コウモリがとびまわる、くらい森をぬけて、きれいな朝日が見える山まで行こう！

こたえは310ページをみてね

おばけもがんばってます…

みつけて 「ミイラ男」はどれかな？

おばけの国のびょういんは、ケガやびょうきのおばけたちで、いつもいっぱい！　上と下の絵には、まちがいが9つあるよ。どこかな？

こたえは310ページをみてね

黒ネコさんどこ行くの？

かぞえて 右の絵で、ネコは何びきいるかな？

まじょのやしきの前にくると、羽が強く光ったよ！　黒ネコたちについて、中に入ってみよう。右と左の絵は、かがみになっているよ。

こたえは310ページをみてね

どこもかしこもおばけだらけでもうイヤ……
ニャ〜
ねえ、あのネコわたしたちにこいって言ってるみたい
…ここわいよぉ
でも、ここにかけらがあるはず
あっ止まった
ここに何かあるの？
ガチャ
やっやめようよ
だ〜れ〜じゃ〜！
ぬ
う
うぎゃあ――!!!

まじょのとくせいカレー！

レベル ★☆☆ かんたん

まじょが作（つく）っていたのは、何（なん）とカレー！　カレーによくつかわれるざいりょうを４つえらぼう。

こたえは310ページをみてね

カギを見(み)つけて はこをあけよう！

みつけて はこのカギがあるよ。ヒントは、つぎのページ。

まじょがくれた「まほうのはこ」をあけるには、ふたに書かれたあんごうをといて、カギを見つけないといけない！　ヒントは「けしごむ」だよ！

← こたえは310ページをみてね

カギだ!!
ありがとう!!
にゃーー
よかったー!
アキすごい!
カチャ
キラ…
あった!
青いかがみのかけら!!
やったー!!
わ～い
よろこんでないで
こわいから早く帰ろう!
はいはい
パァァァァ

あ〜
たのしかった！
やっとおばけの国からぬけ出せた…
あと2まいか…
いったい、どこにあるんだろう
ぐうううううう
うーん
きゅうぅ
おなかすいたな…
そういえば朝ごはん食べてなかったね！
アキ、ユカ！おきなさーい！朝ごはんよー
はーい!!
つづく

おまけのもんだい

154ページから183ページの絵の中からさがしてね！
まちがいさがしのページでは、右（または上）の絵からさがそう。

まどの外に、クルンとナイナイがいるよ。どこかな？

このタヌキは、どこにいる？

このおばけは、どこにいる？

月は、ぜんぶで何回出てくるかな？

きゅうりを食べているかっぱは、どこにいる？

こたえは310ページをみてね

広いぞ！せかいの国

日本だけじゃなく、せかい中の国がおかしくなったと知る４人。
きれいなもの、おいしいもの、かわいいものがいっぱいの
せかいいっしゅうのたびへ、さあ、しゅっぱつだ！

いっただっきまーーす!!
え 自由の女神が
ソフトクリーム?
ピッ
今、オランダのハートばたけは見ごろをむかえており…
ピッ
ぜったい何かおかしいよね
もしかして…せかい中がおかしくなっている!?

バタバタ
せかい中なんてとてもさがしきれないよ
クルン、ナイナイちょっときて
おなかいっぱーいなにかおよびでしょうか?
ふー
もしかしてそれちきゅう?
ピカッ
やっぱり…
せかい…
せかい中がおかしくなっているみたいなの。でも、どこから行けばいいのか…
それならハワイに行きたいなあ
ずっとゆめだったの♥
てきとうすぎるけど…まっいっか!
行こう!!
ハワイ島

ハワイのうみでフラダンス♪

クイズ　ハワイは、アメリカの島（しま）のひとつ。○かな×かな？

ハワイのきれいなうみべで、フラダンスをおどる人たち。お花のくびかざりが、とってもすてき！上と下の絵には、まちがいが6つ。見つけてね！

こたえは311ページをみてね

おしゃれのまち パリ！

みつけて フランスの国（くに）のはたがあるよ。どこかな？

フランスのパリでは、「パリコレ」とよばれるファッションショーがひらかれていたよ！　右と左の絵には、まちがいが6つ。わかるかな？

こたえは311ページをみてね

オランダのチューリップばたけ

クイズ　チューリップは春（はる）にさく花（はな）だよ。○かな×かな？

どこまでも広(ひろ)がる、オランダのチューリップばたけ。でも、あれれ？　ハートの形(かたち)のチューリップが3つ、まぎれているよ！　さがしてみてね。

← こたえは311ページをみてね

中国(ちゅうごく)でんとうのあじ

みつけて 「しゅうまい」があるよ。どれかな？

中国のりょうりには、みんながだいすきなメニューがいっぱい！　ぜんぶ食べたくなっちゃうね。右と左の絵にはまちがいが6つ。わかるかな？

こたえは311ページをみてね

エジプトのクレオパトラ

クイズ　エジプトはとてもさむい国(くに)。○かな×かな？

エジプトのピラミッドで見つけた古い紙には、ふしぎな絵が。この中で、なまえに「エ・ジ・プ・ト」の４文字がないものはどれかな？　４つさがそう！

こたえは311ページをみてね

オーストラリアのかわいいおやこ♥

クイズ　コアラは、ユーカリのはっぱが大(だい)すきき。○かな×かな？

オーストラリアのどうぶつえんでは、カンガルーとコアラのなかよしおやこにであったよ！　上と下の絵には、まちがいが7つあるよ。どこかな？

こたえは312ページをみてね

じょうねつの国（くに）スペイン

かぞえて　バラの花（はな）は、いくつあるかな？

スペインのおどり「フラメンコ」のはなやかさに、うっとり。まっかなドレス、わたしもきてみたいな！　右(みぎ)と左(ひだり)の絵(え)には、まちがいが7つあるよ！

← こたえは312ページをみてね

強(つよ)いよ！ブラジルのサッカー

みつけて　ひげがはえている人(ひと)がいるよ。どこかな？

おっ、ナイスシュート！

ブラジルではサッカーが大人気！　もりあがるサッカー場をよーく見ると、1から10までのすうじがかくれていたよ！　ぜんぶ見つかるかな？

← こたえは312ページをみてね

レベル
ふつう

どうぶつたちの国(くに)アフリカ！

クイズ ダチョウは、空(そら)をとべる。○かな×かな？

アフリカの広い草原には、ゾウやキリン、ライオンなど、どうぶつがたくさんくらしているよ！
上と下の絵には、まちがいが7つ。さがしてね！

こたえは312ページをみてね

これがアメリカンスタイル★

? クイズ　とりにくは「チキン」、じゃあ、ぎゅうにくは？

ハンバーガー、バーベキューといえば、アメリカ！
馬(うま)にのったカウガール、かっこいいね！　右(みぎ)と左(ひだり)の絵(え)にはまちがいが8つ。わかるかな？

こたえは312ページをみてね

ドイツのすてきなおしろ

えほんに出てくるような、すてきなおしろを見たよ。日記と絵でちがうところを4つ見つけて！

8月1日(火) 晴れ

きょうは、ドイツで赤いやねのすてきなおしろを見ました。シンデレラのおしろのモデルになったんだって！サクラもたくさんさいていて、鳥も3わいて、とてもきれいでした。

こたえは313ページをみてね

とろ～りチーズのピザ♥

レベル ★★☆ ふつう

ピザはイタリアのりょうり！　トッピングの中から、入っていないもの４つをさがしてね。

← こたえは313ページをみてね

ちょっとふしぎな インドの夜…

クイズ　インドゾウはアフリカゾウより小さい。○かな×かな？

まっ白なたてものと、ごうかなダンスのいしょうが星の光でキラキラかがやき、とってもきれい！右と左の絵にはまちがいが8つ。見つけてね！

← こたえは313ページをみてね

みつけて 水玉のスカーフに、ピンクのスカートのお人形はどれ？

お人形の中から、ひとまわり小さいお人形がつぎつぎと出てくる、ロシアの「マトリョーシカ人形」。上と下の絵は、かがみになっているよ。

こたえは313ページをみてね

イギリスの絵はがきはとってもすてき！

クイズ　ミルクを入れたこうちゃのことを、何て言う？

まっ赤(か)な２かいだてバスに、おいしいお茶(ちゃ)とおかし。イギリスには、すてきなものがいっぱい！右(みぎ)と左(ひだり)の絵(え)には、まちがいが９つあるよ。

← こたえは313ページをみてね

どの国もすてきだったね！
りょこうみたいでたのしかった！
でも、かけらは見つからないね
まだ行っていない国は…
わ！
ピカッ
えっどこどこ？
兵庫県だって！ちょうどおしろのマークがあるよ
えっ日本!?
もしかしてそのおしろにあるのかな？
よし！
行ってみよう！

かけらはおしろの中(なか)に…

レベル ★☆☆ かんたん

おしろへつづくめいろをぬけて、かがみのかけらをゲットしよう！

← こたえは313ページをみてね

かがみのかけらゲット！
イェーイ!!
よかった!!
ついに、あと1まいか…
さいごの1まいはいったいどこにあるんだろう…
ユカちゃん！アキちゃん！
えっ今（いま）のだれ？
クルン？ナイナイ？
ふる
ふる

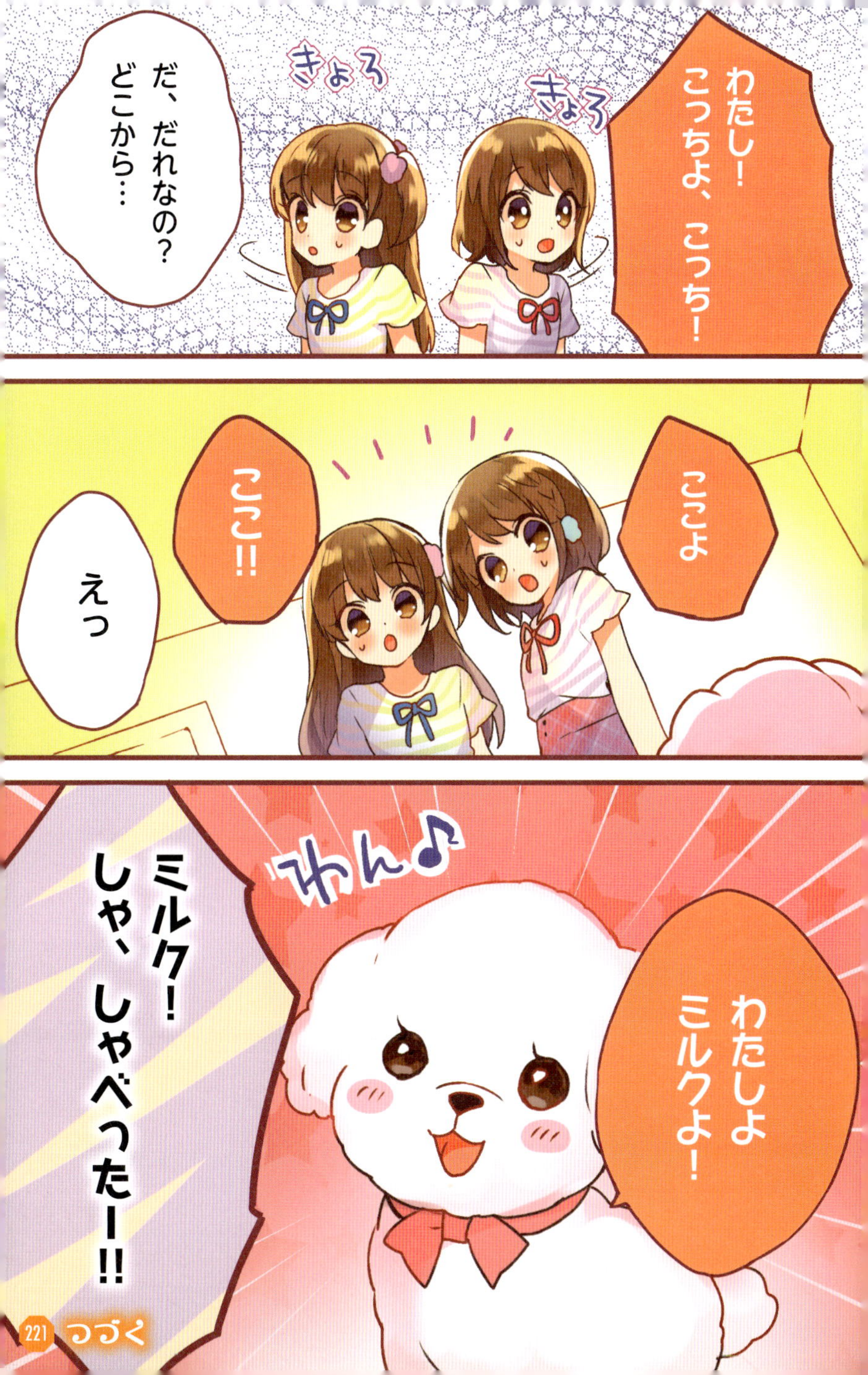
わたし！
こっちよ、こっち！
きょろ
きょろ
だ、だれなの？
どこから…
ここよ
ここ!!
えっ
わたしよ
ミルクよ！
わん♪
ミルク！
しゃ、しゃべったー!!
つづく

おまけのもんだい

190ページから219ページの絵の中からさがしてね！

まちがいさがしのページでは、右（または上）の絵からさがそう。

123 アキとユカが、かわいいどうぶつを見ているよ。どこかな？

124 どこかにクルンとナイナイがいるよ。ヒントは、おしろ。

125 カメラでしゃしんをとっている人がいるよ。どこかな？

126 この本は、どこにあるかな？

127 アキたち４人は、ぜんぶでいくつの国へ行ったのかな？

こたえは313ページをみてね

ゾウにキリン、パンダにアルパカ、ハリネズミ。
どうぶつたちのパラダイス「どうぶつの国」が、まちがいだらけに！
かがみのかけらのさいごの1まいも、見つけなくちゃ！

もしかして
どうぶつの国も
おかしくなって
いるの？
ぽかん
しゃべってる…
ミルクさん
ちょっと
さわるね
そ…
ピカッ
まちがいない！
さいごのかがみの
かけらは
どうぶつの国だよ
！！！
ミルク
本当に
しゃべれるの？

うん！　アキちゃんとユカちゃんとお話できて、うれしい！
わっ
わたしもうれしいよ！ミルク～！
ぎゅ――
ずっとお話していたいけど…早くさがしに行かないとね
うん
うん
ミルク行ってくるね！
ぎゅ
ゆっ
わたしの国をよろしくね！
パァァァァ
それじゃあどうぶつの国でまちがいさがし！
がんばるぞー！

とってもへいわな「どうぶつの国(くに)」

みつけて　ゆうびんやさんがいるよ。どこかな？

いろいろなどうぶつたちがなかよくくらす「どうぶつの国」。ここは、いちばん大きな町なんだって！　右と左の絵には、まちがいが6つあるよ。

こたえは314ページをみてね

アライグマたちのクリーニング店(てん)

クイズ　アライグマは、クマのなかまだよ。○かな×かな？

おせんたくずきなアライグマたちのクリーニング店は、しあがりがとってもキレイと大ひょうばん！上と下の絵にはまちがいが6つ。どこかな？

こたえは314ページをみてね

のんびり…パンダこうえん

かぞえて パンダは、ぜんぶで何(なん)とういるかな？

パンダたちがあつまるこうえん。でも、あれれ？しっぽが黒いパンダ、耳が白いパンダ、手足が白いパンダが１とうずついるよ。見つけてね！

← こたえは314ページをみてね

はい、お口を大きくあけて〜

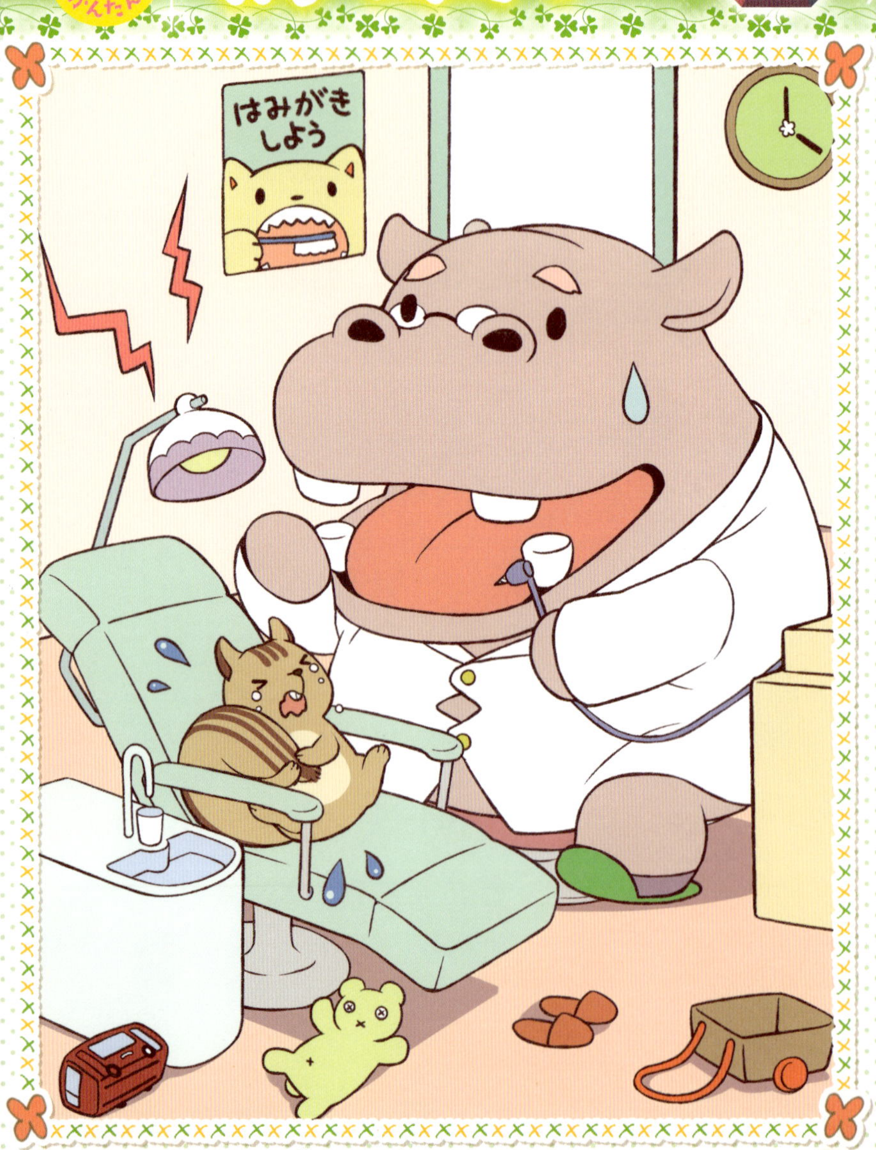

クイズ　リスが大すきな食べものははっぱだよ。○かな×かな？

かんじゃさんより、はいしゃさんの方が大きな口なんて、おかしいね！　右と左の絵には、まちがいが６つあるよ！　わかるかな？

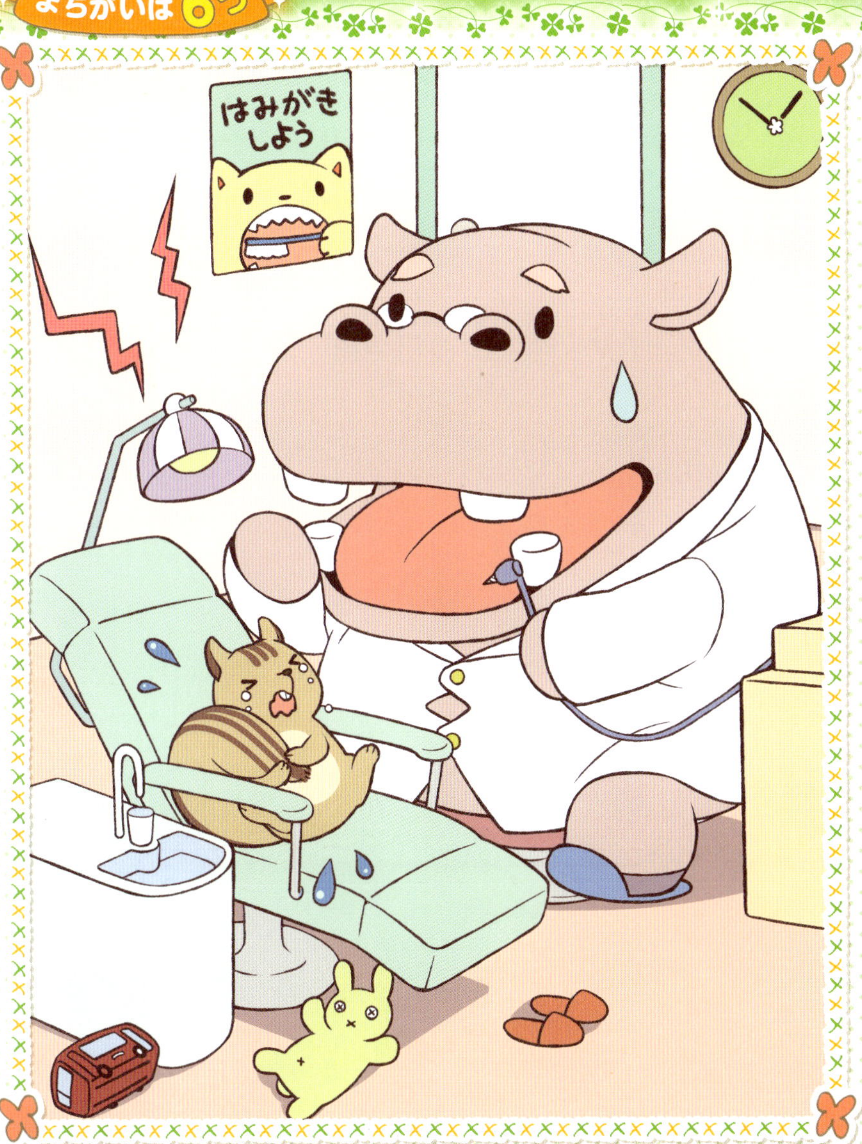

← こたえは314ページをみてね

どうぶつスーパーは今日も大にぎわい

クイズ　メガネをかけたライオンは、ママかな？　パパかな？

毎日(まいにち)、たくさんのどうぶつたちがやってくるスーパー。キツネさんは、今日(きょう)のおかずをなやみ中(ちゅう)。右(みぎ)と左(ひだり)の絵(え)には、まちがいが6つ。さがしてね！

← こたえは315ページをみてね

先生(せんせい)、見(み)えませーん！

みつけて テントウムシがいるよ。どこかな？

ここはどうぶつたちの学校。ネズミ先生のじゅぎょうは、声もこくばんの文字も、ちょっと小さすぎるみたい。右と左の絵にはまちがいが7つ！

← こたえは315ページをみてね

キツネくんは ゆうとうせい！

おちばは、ぜんぶで何(なん)まいあるかな？

つぎは、タヌキ先生(せんせい)のばけばけ教室(きょうしつ)！　うまくばけられたのは、キツネくんだけ!?　右(みぎ)と左(ひだり)の絵(え)には、まちがいが7つあるよ。さがしてみてね！

← こたえは315ページをみてね

しましま ファッションショー★

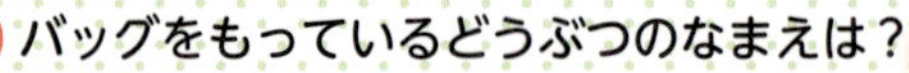

しましまもようのどうぶつたちが、ファッションショーをひらいたよ。みんなかっこいいね！　上と下の絵は、さかさまになっているよ。

こたえは315ページをみてね

セーターをあんでいるのはだれ？

アルパカはラクダのなかまだよ。○かな×かな？
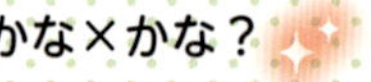

どれもあったかそう！

ニット店ではたらくのは、ふわふわモコモコのアルパカとヒツジの親子。セーターをあんでいるのは、だれかな？　線をたどってみよう！

こたえは315ページをみてね

鳥たちのすてきな歌声にうっとり…

かぞえて 鳥は、ぜんぶで何わいるかな？

ピ〜ピピピ〜♪　かわいい声にさそわれていくと、鳥たちがコンサートをひらいていたよ！　右と左の絵には、まちがいが7つ。ぜんぶわかるかな？

こたえは315ページをみてね

くいしんぼうのハムスターくん

レベル ★★☆ ふつう

クッキーのはがたをヒントに、ハムスターくんがつまみぐいしたもの１つをさがそう！

こたえは316ページをみてね

ハリネズミくんはどこ？

139

レベル ★★☆ ふつう

トゲトゲのハリネズミくんが、かくれんぼしたよ！　どれがハリネズミくんのかげかな？

← こたえは316ページをみてね

われら、うみのサーカスだん！

クイズ　ペンギンのよこにいるのは、アシカだよ。○かな×かな？

ペンギンだんちょうのステッキに合わせて、イルカたちがジャンプ！　さすがのチームワークだね。右と左の絵にはまちがいが8つ。見つけてね！

← こたえは316ページをみてね

ほいくえんはおひるねの時間（じかん）

みつけて おだんごがあるよ。どこかな？

まちがいは8つ

子イヌと子ネコのほいくえんは、おひるねのじかん。みんなグッスリ……。きっと、いっぱいあそんだんだね。右と左の絵には、まちがいが8つ！

こたえは316ページをみてね

レベル
★★★
むずかしい

ジャングルのサルたちは元気いっぱい！

かぞえて サルは、ぜんぶで何びきいるかな？

ジャングルに入ると、元気なサルたちが「あそぼうよ！」ってやってきた。よーし、かくれんぼしよう！　上と下の絵は、かがみになっているよ。

← こたえは316ページをみてね

かがみのかけらはゆんえんちの中(なか)！

みつけて ハムスターがいるよ。どこかな？

ゆうえんちにくると、クルンたちの羽がピカッ！さいごのかけらは、この中にあるみたい。きみどり色のかけらはどこかな？　さがしてね！

こたえは316ページをみてね

やったー!!
ぜんぶそろった!!
アキちゃんとユカちゃんのおかげだよ
本当にありがとう…
どういたしまして!
さあ いそいでようせいの国に帰らないとね!
うん!
…あの

ふたりもいっしょにきてくれる？
！
えっいいの？
ようせいの国行きたい！
じゃあ、きまり！
だいじなかがみのかけらをもって…
よし！
パァァァァ
ようせいの国へしゅっぱーつ！
つづく

おまけのもんだい

226ページから255ページの絵の中からさがしてね！

まちがいさがしのページでは、右（または上）の絵からさがそう。

どこかにアキとユカがいるよ。
ヒントは、すてきな音楽がながれるばしょ。

145

どこかにクルンとナイナイがいるよ。
ヒントは、森の中。

146

ペンギンは、ぜんぶで何回出てくるかな？

147

このりんごは、どこにあるかな？

このキャンディーは、どこにあるかな？

こたえは316ページをみてね

かがみのかけらをすべてあつめ、ようせいの国へやってきた４人！
「しんじつのかがみ」をもとにもどし、
せかいをすくうことはできるかな？

パッ
ここがようせいの国…
すてき…
ここは、ようせいをしんじてくれるみんなの国でもあるの
ふたりもこの国のなかまだよ
そうなの?
なんだかうれしい!
ぽっ

今いるのは ようせいの国の 入り口。 われたしんじつの かがみがある おしろはまだ先なの
ユニコーンや 天使もいるの?
会いたい!
でも、この国も まちがいだらけに なっているの
まちがいを さがしながら すすもう
りょうかい!
これが さいごだね!
うん がんばろう!
いざ おしろへ!

お花さんたち元気かな？

クイズ　ひまわりは、夏にさく花だよ。○かな×かな？

花たちのおせわをして、きれいにさかせてあげるのが、花のようせいのお仕事なんだって！　右と左の絵にはまちがいが６つ。わかるかな？

← こたえは317ページをみてね

しずくのネックレス すてきでしょ？

クイズ 水（みず）をあたためると、モクモク出（で）るものは何（なに）？

水のボールに、しずくのネックレス。水をじゆうにあやつる、水のようせいたち！　右と左の絵には、まちがいが6つあるよ。見つかるかな？

← こたえは317ページをみてね

みつけて　むらさき色のぼうしがあるよ。どこかな？

木のようせいたちが作る、はっぱのドレスは、ようせいたちに大人気。木の実のアクセサリーもステキ！　上と下の絵には、まちがいが６つあるよ。

← こたえは317ページをみてね

雪のほうせき……おなじ形はどれ？

クイズ 雪で作った、まるいおうちのことを何と言う？

雪のようせいが手を広げると、キラキラ……雪のけっしょうがいっぱいふってきた！　みほんとおなじ形のものがひとつだけあるよ。見つけてね！

こたえは317ページをみてね

こびとたちといっしょにピクニック♪

レベル ★☆☆ かんたん

かぞえて こびとは、ぜんぶで何人(なんにん)いるかな？

ピクニックをしているこびとたちに会ったよ。どうぶつたちもやってきて、しらゆきひめになった気分！　右と左の絵にはまちがいが7つあるよ。

← こたえは317ページをみてね

空(そら)の国(くに)のおひめさま

かぞえて　おひめさまがつけている星(ほし)は、ぜんぶでいくつ？

くもの上で、空の国のおひめさまにごあいさつ。星のドレスがとってもかわいいね！　右と左の絵には、まちがいが7つあるよ。さがしてね！

← こたえは317ページをみてね

レベル ★★☆ ふつう

ドラゴンの赤(あか)ちゃんがうまれたよ！

クイズ カメは、たまごからうまれる。○かな×かな？

かわいい赤ちゃんがうまれたと聞いて行ってみたら、なんと、ドラゴンの赤ちゃんだった！　右と左の絵にはまちがいが7つ。見つけられるかな？

こたえは318ページをみてね

レベル ★☆☆ かんたん

クイズ わたあめは、しおでできたおかし。○かな×かな？

ユニコーンの子どもたちは、大すきなおやつの時間！　3とうのユニコーンのうち、ケーキにたどりつけるのはだれかな？　線をたどってみてね！

こたえは318ページをみてね

ただいまラッパのれんしゅうちゅう

みつけて　ゆみやのれんしゅうをしている子がいるよ。どこかな？

プープーピー？　まだうまくラッパがふけない、天使(てんし)の子(こ)どもたち。れんしゅう、がんばってね！右(みぎ)と左(ひだり)の絵(え)には、まちがいが８つあるよ。

こたえは318ページをみてね

うつくしい めがみさま

かぞえて どうぶつは、ぜんぶで何(なん)びきいるかな？

森(もり)のいずみをとおりかかると、ひと休(やす)みするめがみさまのすがたが。どうぶつたちも、思(おも)わずうっとり。右(みぎ)と左(ひだり)の絵(え)には、まちがいが8つあるよ。

← こたえは318ページをみてね

じゅもんをとなえたら？

めがみさまに教わったふしぎなじゅもん。みほんにあることばは、何回ずつ出てくるかな？

← こたえは318ページをみてね

まほうのゆびわはどれ？

じゅもんをとなえると、ゆびわがあらわれたよ。
1 ～ 3 にあてはまるものをさがしてね！

赤い石

石の形は
ハート

リングは
2本

← こたえは318ページをみてね

時(とき)が止(と)まったおしろにとうちゃく

みつけて　むらさき色(いろ)のチョウがいるよ。どこかな？

ゆびわを手に入れてすすむと、ついに、おしろについたよ！　にわは、時間が止まったまま……。右と左の絵には、まちがいが８つあるよ。

こたえは319ページをみてね

パーティーも あの日(ひ)のまま…

みつけて リスがいるよ。どこかな？

かがみがわれた日、おしろではちょうどダンスパーティーがひらかれていたんだって。右と左の絵には、まちがいが9つ。ぜんぶわかるかな？

← こたえは319ページをみてね

かがみのかけらは おきさきさまのへやに

クイズ　おきさきさまがクルンたちのお母(かあ)さんなら、王(おう)さまは？

クルンたちのお母(かあ)さん、おきさきさまのまくらもとにおいてきたかけらをもって、いざ、かがみのへやへ！　右(みぎ)と左(ひだり)の絵(え)は、かがみになっているよ。

← こたえは319ページをみてね

かがやけ！しんじつのかがみ

？クイズ　えほんのせかいで見（み）つけたかがみは何色（なにいろ）だったかな？

かがみにうつる４人の顔をヒントに、「？」に入る４つのかがみのかけらをさがそう。正しいものをはめれば、かがみは強く光りかがやくはず！

こたえは319ページをみてね

カッ
うわあ！
まぶしい！
…あれ
なに？
？？
ん？
わたしたち…
どうなって…？
おとう
さまー！
おかあ
さまー！
ピューーーッ
わっ
ごめんなさーい!!

そして――
せかいは――
ふたたび
しんじつのすがたを
とりもどしたのです

ふたりとも本当にありがとう
こちらこそ！いっしょにいろんなばしょに行けてたのしかったよ！
もうかがみわっちゃダメだよ！
わーん！おわかれしたくないよー！
また会えるよね？
アキちゃんとユカちゃんが
わたしたちを思い出してくれるときにはいつでも！
思い出すよ！ぜったい！
このゆびわだいじにするね！

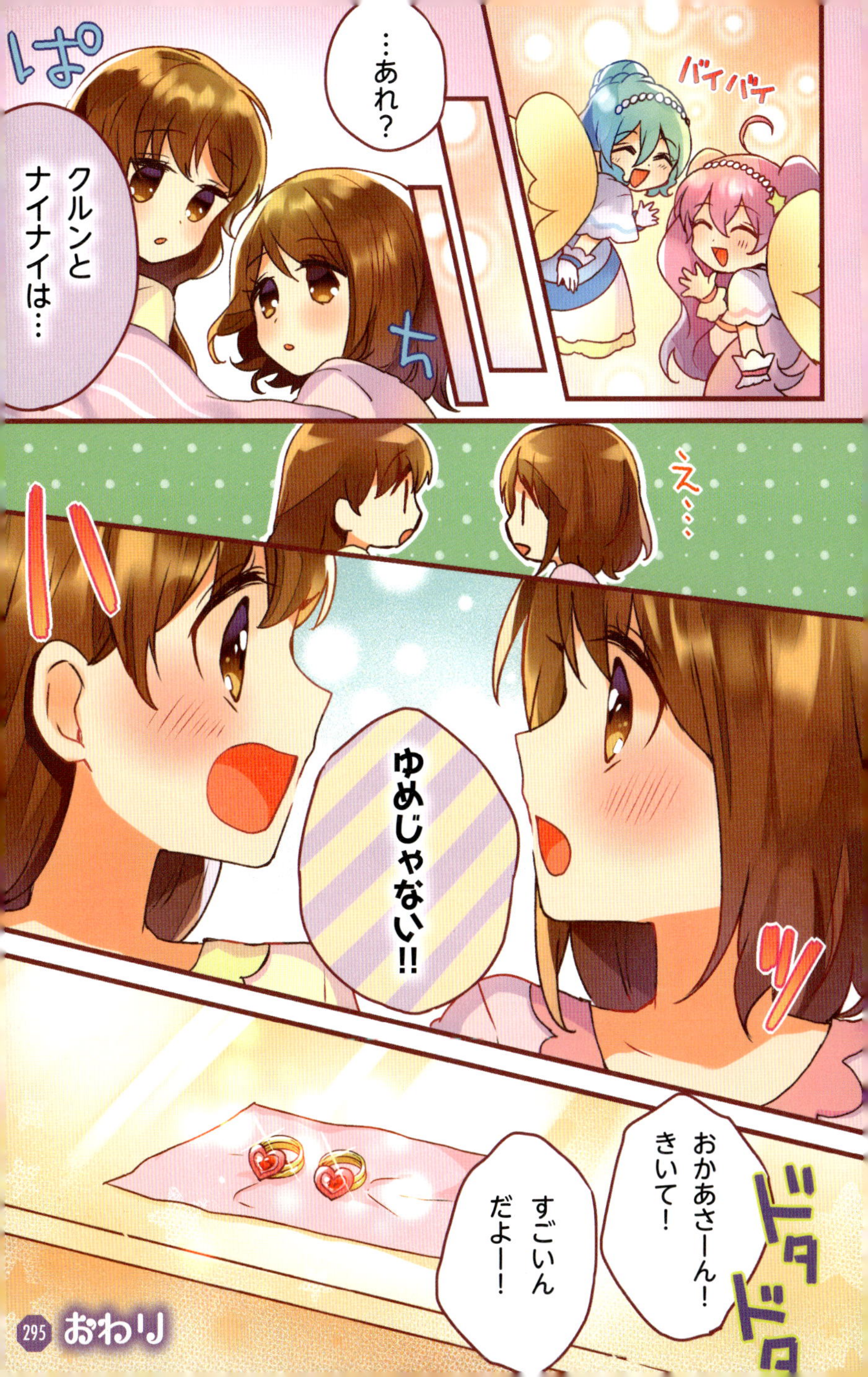
バイバイ
…あれ?
ち
ぱ
クルンとナイナイは…
え…
ハッ
ゆめじゃない!!
ドタドタ
おかあさーん!きいて!
すごいんだよー!
おわり

おまけのもんだい

262ページから291ページの絵の中からさがしてね！

まちがいさがしのページでは、右（または上）の絵からさがそう。

青い羽のようせいは、
ぜんぶで何人出てくるかな？

青いバラがあるよ。どこかな？

このお花は、どこにあるかな？

168

ドラゴンの赤ちゃんとユニコーンが
いっしょにあそんでいるよ！　どこかな？

この鳥は、どこにいるかな？

おそうじをしているようせいがいるよ。
どこかな？

こたえは319ページをみてね

まちがいさがしのこたえ

※ 1、2、3 などのすうじや □ は、おまけのもんだいのこたえです。

2 12～13ページ

クイズ ▶ ×

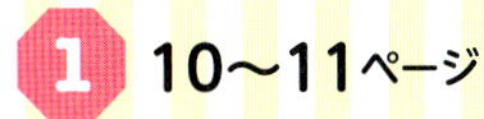

1 10～11ページ

みつけて ▶ ◯

4 16～17ページ

クイズ ▶ ○

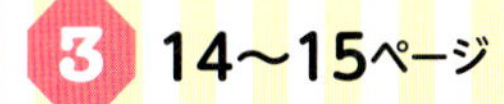

3 14～15ページ

かぞえて ▶ 4人

5 18～19ページ

かぞえて ▶ 5つ

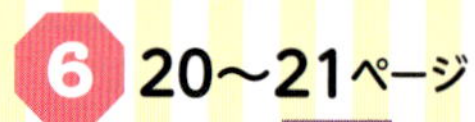

6 20～21ページ

みつけて▶ ○

7 22～23ページ

クイズ▶ たまねぎ

8 24～25ページ

クイズ▶ じゃがいも

9 26～27ページ

かぞえて▶ 8人

10 28～29ページ

クイズ▶ ×

11 30ページ

14 34〜35ページ

みつけて▶ ◯

13 32〜33ページ

かぞえて▶ 5つ

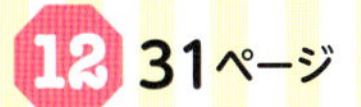

12 31ページ

16 38〜39ページ

みつけて▶ ◯

15 36〜37ページ

クイズ▶ ◯

19 42ページ

▶10ページ

18 42ページ

▶38ページ □

17 42ページ

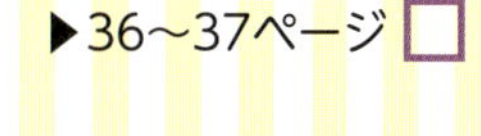

▶36〜37ページ □

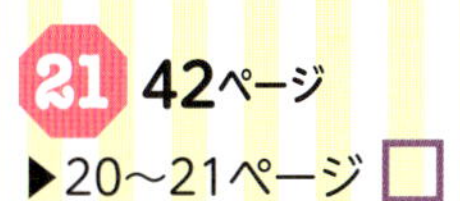

21 42ページ

▶20〜21ページ □

20 42ページ

10回（かい）▶ 1 〜 10

22 46～47ページ

みつけて▶◯

23 48～49ページ

みつけて▶◯

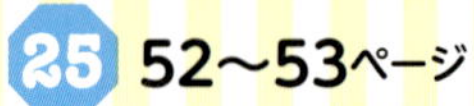

25 52～53ページ

みつけて▶◯

24 50～51ページ

みつけて▶◯

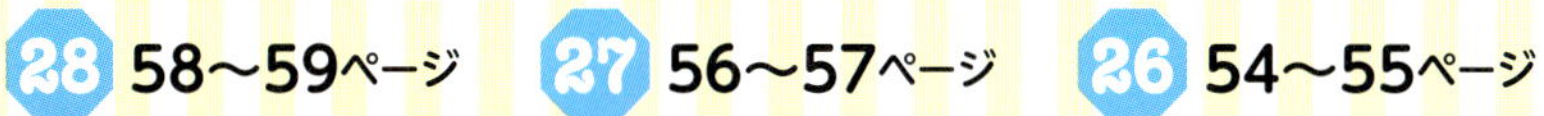

26 54～55ページ

かぞえて▶ 6だん

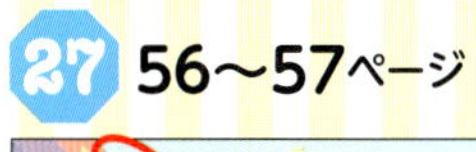

27 56～57ページ

クイズ▶ ピンク色（いろ）

28 58～59ページ

クイズ▶ ×

29 60～61ページ

みつけて▶ ○

30 62～63ページ

クイズ▶ ○

31 64～65ページ

みつけて▶ ○

32 66ページ

33 67ページ

こたえ▶きらきらぼし

34 68〜69ページ

かぞえて▶ 5つ

35 70〜71ページ

クイズ▶ ○

36 72〜73ページ

クイズ▶ 3年生

37 74〜75ページ

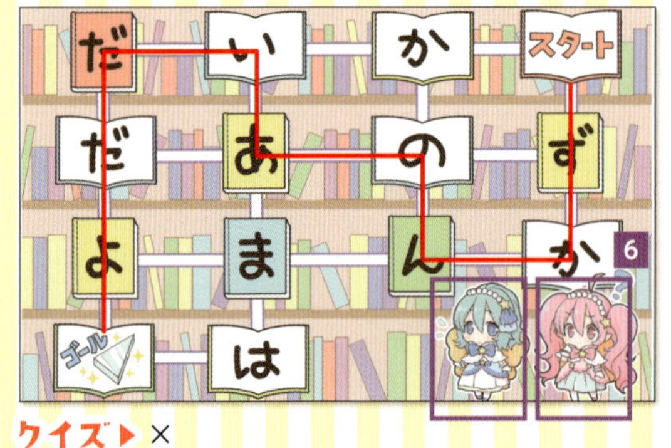

クイズ▶ ×

38 78ページ

▶67ページ □

39 78ページ

▶74ページ □

40 78ページ

▶46〜47ページ □

41 78ページ

▶52ページ □

42 78ページ

6つ▶ 1 〜 6

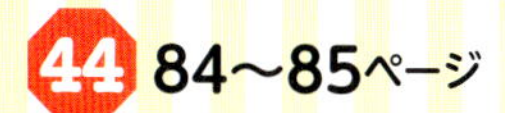

44 84～85ページ

かぞえて▶ 6つ

43 82～83ページ

みつけて▶ ○

3 キラキラ！アイドルのせかい

45 86～87ページ

おおきな　さくらの　きのした
わらって　てをふる　きみがいる
はるは　おはなみ　なつは　はなび
あきは　おつきみ　ふゆは　ゆきなげ
おなじ　じかんを　すごしてきたね
たのしい　おもいで　ふりつもる
だから　なみだは　さくらいろ
てをふる　きみが　とおくなる
だけど　スマイル　さくらいろ
ふたりの　うたは　おわらない

クイズ▶ ×

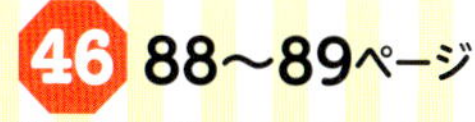

46 88～89ページ

みつけて▶ ○

48 92～93ページ

こたえ▶ 6つ　クイズ▶ ぼうしとヘアゴム

47 90～91ページ

クイズ▶ ○

49 94〜95ページ

かぞえて▶ 6ぴき

50 96〜97ページ

クイズ▶ うきわ

51 98〜99ページ

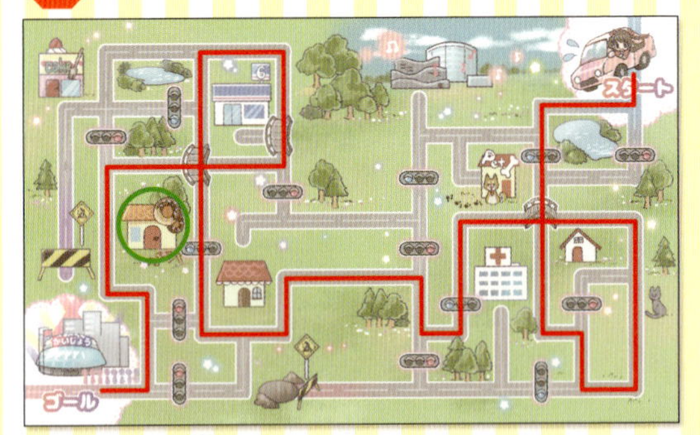

みつけて▶ ○

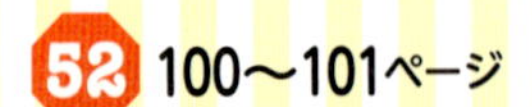

52 100〜101ページ

みつけて▶ ○

53 102ページ

54 103ページ

55 104〜105ページ

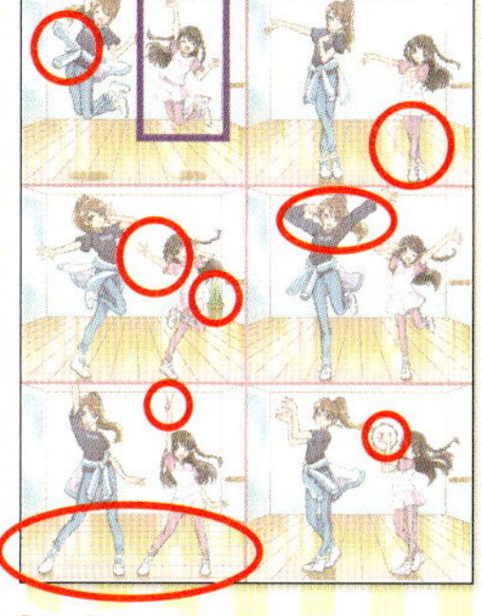

クイズ ▶ 1

56 106〜107ページ

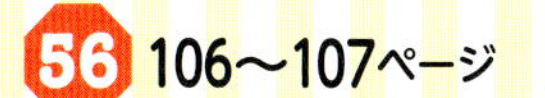

かぞえて ▶ 12人（にん）

57 108〜109ページ

クイズ ▶ チーズ

58 110〜111ページ

みつけて ▶ ○

59 114ページ

▶90〜91ページ
111ページ □

60 114ページ

▶110〜111ページ □

61 114ページ

▶93ページと
103ページ □

62 114ページ

▶89ページ、
106〜107ページ □

63 114ページ

▶104〜
105ページ □

64 114ページ

▶106〜
107ページ □

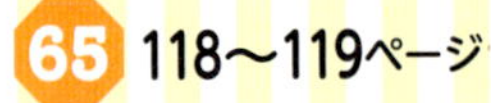

クイズ ▶ ネズミ

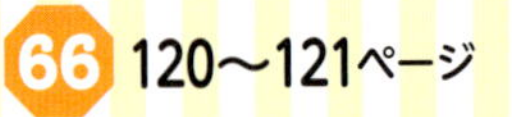

かぞえて ▶ 7つ

67 122～123ページ

かぞえて ▶ 3びき

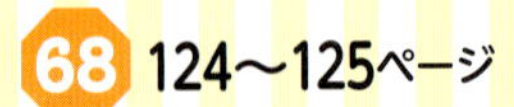

みつけて ▶ ◯

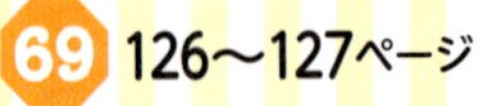

クイズ ▶ ○

70 128～129ページ

かぞえて ▶ 4つ

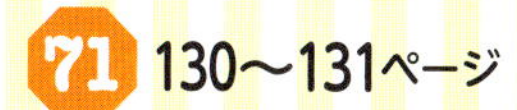

71 130～131ページ

クイズ▶○

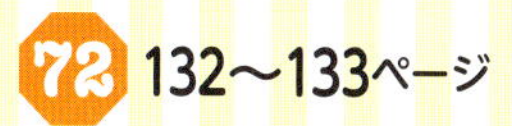

72 132～133ページ

クイズ▶○

73 134～135ページ

かぞえて▶15こ

74 136～137ページ

クイズ▶×

75 138ページ

76 139ページ

77 140～141ページ

かぞえて▶8さつ

78 142～143ページ

クイズ▶×

79 145ページ

80 146～147ページ

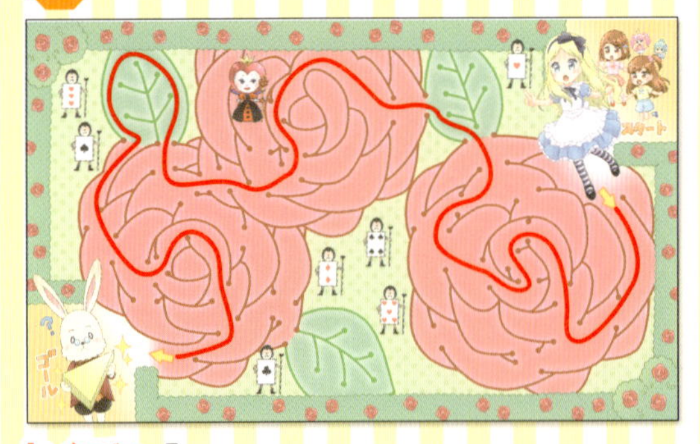

クイズ▶ 5

81 150ページ

▶132～133ページ □

82 150ページ

▶120～121ページ □

83 150ページ

6人(にん)▶ 1 ～ 6

84 150ページ

▶139ページ □

85 150ページ

しらゆきひめ▶140～141ページ □

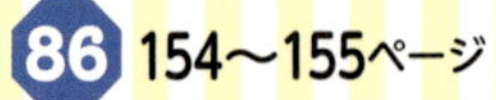

かぞえて▶ 9ひき

87 156～157ページ

みつけて▶ ○

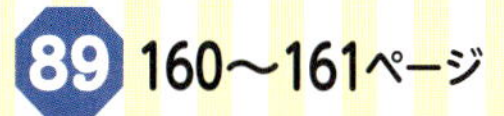

みつけて▶○

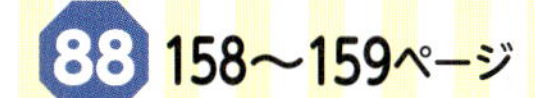

クイズ▶○

クイズ▶かっぱ

かぞえて▶ふたり

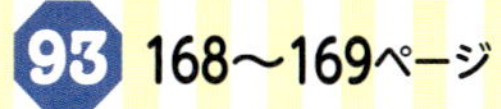

かぞえて▶5人（にん）

92 166～167ページ

クイズ▶○

96 174ページ

95 172〜173ページ

クイズ▶○

94 170〜171ページ

クイズ▶いたずら

98 176〜177ページ

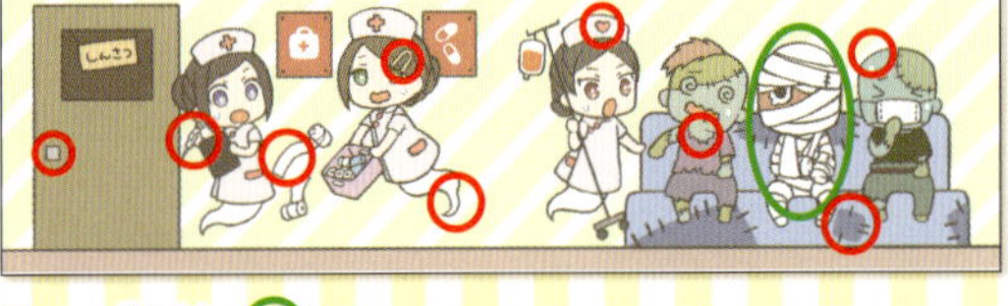

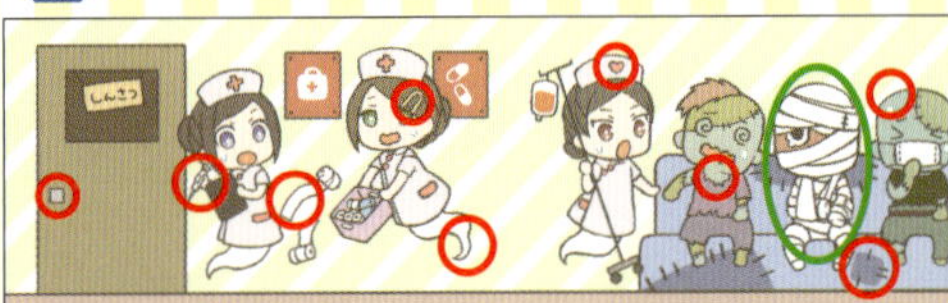

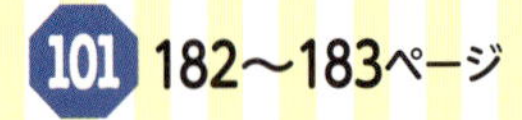

みつけて▶○

97 175ページ

101 182〜183ページ

かぎ はく
ろね この
くび わ

みつけて▶○

100 181ページ

99 178〜179ページ

かぞえて▶10ぴき

103 186ページ

▶157ページ□

102 186ページ

▶170〜171ページ□

106 186ページ

▶175ページ□

105 186ページ

5回(かい)▶1〜5

104 186ページ

▶174ページ□

107 190〜191ページ

クイズ▶ ○

109 194〜195ページ

クイズ▶ ○

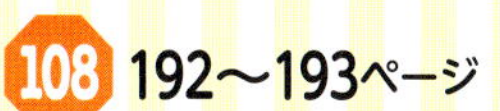

108 192〜193ページ

みつけて▶ ○

111 198〜199ページ

クイズ▶ ×

110 196〜197ページ

みつけて▶ ○

112

200〜
201ページ

クイズ ▶ ○

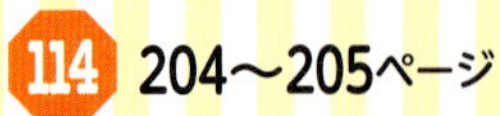

114 204〜205ページ

みつけて ▶ ○

113 202〜203ページ

かぞえて ▶ 7つ

116 208〜209ページ

クイズ ▶ ビーフ

115 206〜207ページ

クイズ ▶ ×

119 212〜213ページ

クイズ▶○

118 211ページ

117 210ページ

120 214〜215ページ

みつけて▶○

123 222ページ

▶200〜201ページ □

124 222ページ

▶210ページ □

125 222ページ

▶192〜193ページ □

126 222ページ

▶198ページ □

127 222ページ

▶15か国

122 219ページ

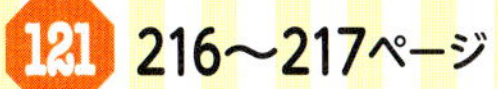

121 216〜217ページ

クイズ▶ミルクティー

みつけて▶ ○

クイズ▶ ×

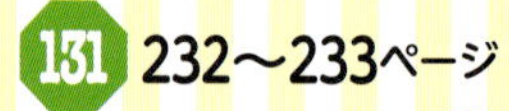

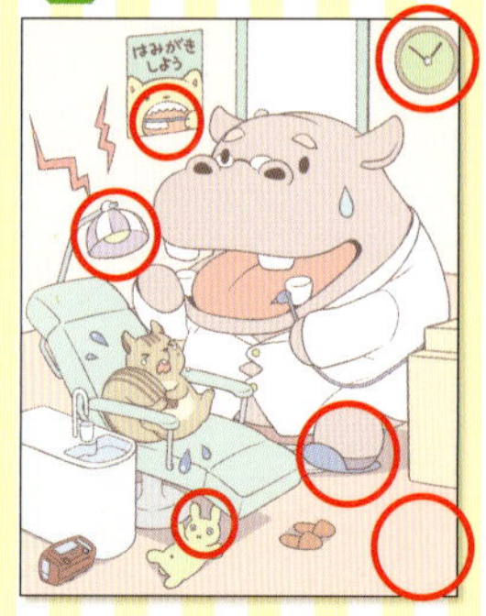

クイズ▶ ×

かぞえて▶ 17とう

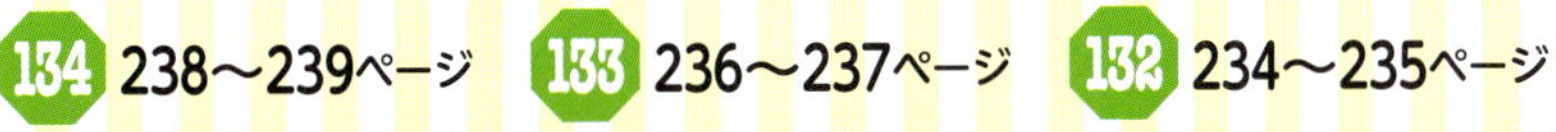
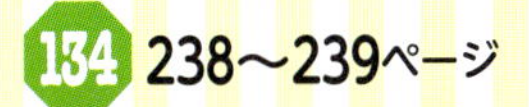

134 238～239ページ

133 236～237ページ

132 234～235ページ

かぞえて▶13 まい

みつけて▶○

クイズ▶パパ

135

240～241ページ

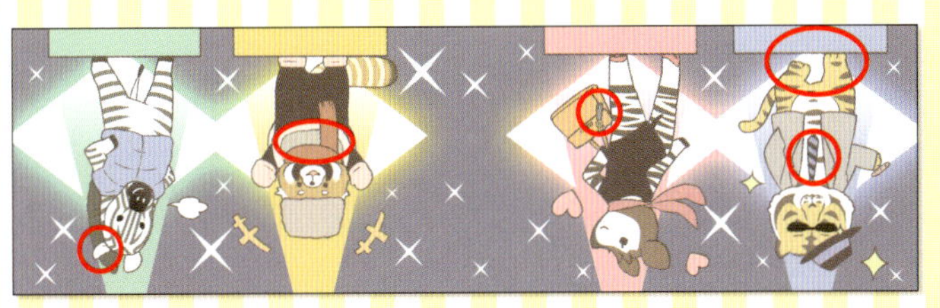

クイズ▶オカピ

137 244～245ページ

136 242～243ページ

かぞえて▶12 わ

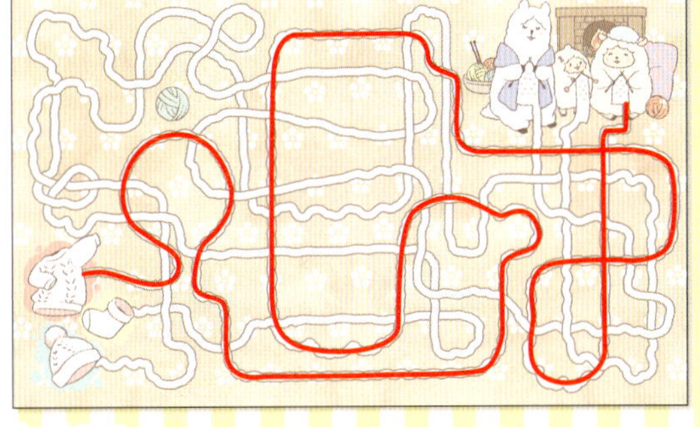

クイズ▶○

141 250〜251ページ

みつけて▶○

140 248〜249ページ

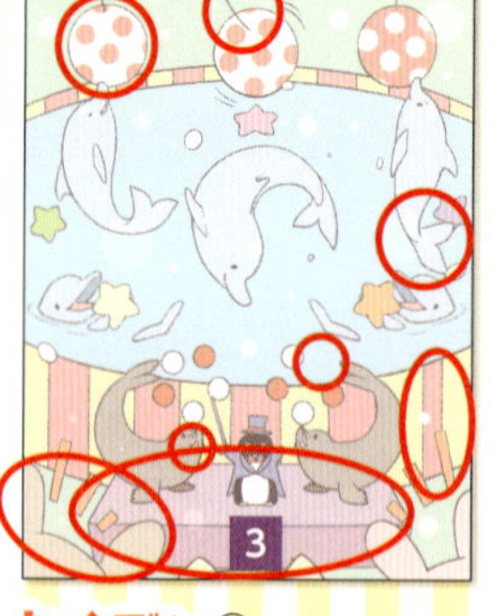

クイズ▶○

138 246ページ

139 247ページ

こたえ▶⑤

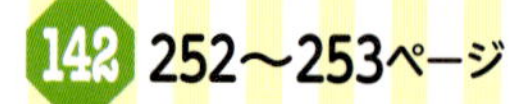

142 252〜253ページ

かぞえて▶7ひき

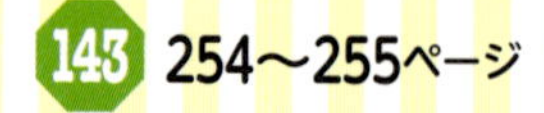

143 254〜255ページ

みつけて▶○

144 258ページ

▶244〜245ページ □

145 258ページ

▶252〜253ページ □

146 258ページ

4回（かい）▶ 1 〜 4

147 258ページ

▶230ページ □

148 258ページ

▶254ページ □

150 264〜265ページ

クイズ ▶ ゆげ

149 262〜263ページ

クイズ ▶ ○

151 266〜267ページ

みつけて ▶ ○

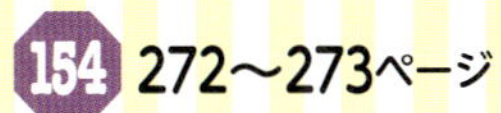

154 272〜273ページ

かぞえて ▶ 10こ

153 270〜271ページ

かぞえて ▶ 7人

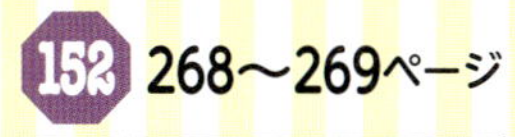

152 268〜269ページ

クイズ ▶ かまくら

155 274〜275ページ

クイズ▶ ○

156 276〜277ページ

クイズ▶ ×

157 278〜279ページ

みつけて▶ ○

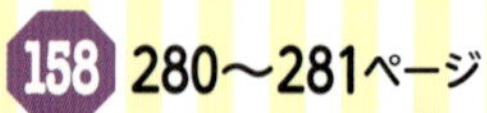

158 280〜281ページ

かぞえて▶ 5ひき

159 282ページ

こたえ▶クルン…4回(かい)

ナイナイ…3回(かい)

160 283ページ

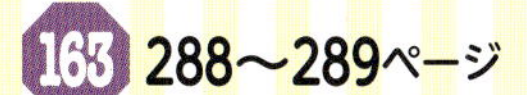

161 284〜285ページ

みつけて▶〇

162 286〜287ページ

みつけて▶〇

163 288〜289ページ

クイズ▶お父さん

164 290〜291ページ

クイズ▶黄色

165 296ページ

8人▶ 1 〜 8

166 296ページ

▶288〜289ページ □

167 296ページ

▶270〜271ページ □

168 296ページ

▶286〜287ページ □

169 296ページ

▶272〜273ページ □

170 296ページ

▶284〜285ページ □

2ページのこたえ

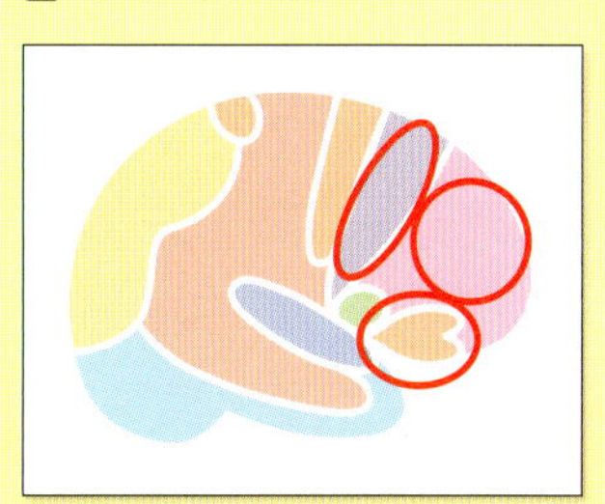

[監修者紹介]

加藤俊徳（かとう　としのり）

株式会社「脳の学校」代表。加藤プラチナクリニック院長。小児科専門医。昭和大学客員教授。発達脳科学・MRI 脳画像診断の専門家。胎児から超高齢者まで1万人以上の人をMRI 脳画像を用いて診断、治療。脳番地トレーニングの提唱者。『脳の強化書』（あさ出版）、『見るだけで記憶力が上がる』（宝島社）、『男の子は「脳の聞く力」を育てなさい』（青春出版社）など著書多数。

♥マンガ　こいち

♥イラスト　あまねみこ　雷みるく　かわぐちけい
こいち　佐々木メエ　七海喜つゆり
BUZZ　MATSUDA98　路地子

♥デザイン・DTP　棟保雅子

♥編集協力　清水あゆこ

あたまがよくなる！
女の子のキラメキまちがいさがしDX

2018年1月15日発行　第1版
2022年2月10日発行　第1版　第10刷

監修者　加藤俊徳
発行者　若松和紀
発行所　株式会社 西東社
〒113-0034　東京都文京区湯島2-3-13
https://www.seitosha.co.jp/
電話　03-5800-3120（代）

ISBN 978-4-7916-2627-4